AI時代に
言語学の
存在の意味は
あるのか？

認知文法の思考法

Is Linguistics Necessary
in the Age of AI?

From a Cognitive Grammar Point of View

Machida Akira

町田 章

ひつじ書房

JN076455

まえがき

　歴史を振り返ってみると、少なくとも日本は過去 2 度にわたって外圧によって大きな変革を迫られてきました。今からおよそ 170 年前の黒船の来航に始まる明治維新および文明開化、そして、78 年前の終戦とそれに続く文化経済の発展。このように、日本の二つの大きな転機が外からの抗しがたい圧力によってもたらされたことは（良し悪しは別として）よく知られています。

　これに似た状況が近年の理論言語学および実践的な外国語教育にも見られるような気がします。他分野からの外圧によって大きな変革を迫られているのです。そしてその外圧とは、人工知能（以後、AI）研究です。このスピード感で AI 研究の発展が続いていくと、従来の理論言語学だけではなしえなかったことが次々と AI を用いて達成されてしまう、そう思えて仕方ないのです。黒船の威力を目の当たりにしたサムライさながらに、私たち理論言語学者はただただ驚き呆れて立ち尽くすことになるかもしれません。

　もちろん、そんな外圧に徹底的に抗戦して従来のやり方を貫き通すという戦い方もあるとは思います。実際、ノーム・チョムスキー（Noam Chomsky）をはじめ多くの生成文法研究者たちは、今のところそのような方針のようです（cf. Chomsky et al. 2023、酒井 2022）[i]。ただ、それは大砲を前に刀一本で立ち向かうようなもので、敗北の瞬間を先延ばしにするだけの戦術に過ぎないように、少なくとも私には見えます。なぜなら、現在のAI という外圧は、これまでの AI とは全く違うディープラーニング（Deep Learning）という次世代の武器を実装しているからです。ディープラーニングは、現代社会に現れた救世主であると同時に破壊者でもあります。この現実は受け入れるしかありません。そして、私たち理論言語学者はここでいったん立ち止まり、救世主とともに歩むのか、破壊者として対峙するのかを考

える必要に迫られているのです。

　もちろん、私がここで言いたいのは、すべての理論言語学者は AI を勉強して言語研究に AI を取り入れるべきだということではありません。ペリーが来ようが、マッカーサーが来ようが、日本人が日本人であり続けたのと同様に、どんなに AI が発展しても、言語学者は言語学者であり続けてよいのです。それどころか、言語に対する深い知見と鋭い洞察力を持った専門家としての言語学者はこれからも言語学者であり続けなければならないのです。ことばという社会心理現象を扱う言語学が社会学や心理学に吸収されることがないのと同様に、言語学はこれからも AI に吸収されたりしてはならないのです。

　本書は、今後の本格的な AI 時代の到来の前に理論言語学と英語教育の価値を再確認したいという思いを込めながら、ひつじ書房のウェブマガジン「未草」に 2019 年 10 月から 2021 年 7 月まで連載した「認知文法の思考法—AI 時代の理論言語学の一つのあり方」という記事に加筆修正したものです。

　外圧は改革を促しますが、それは同時に、破滅ももたらします。このことを考えずに従来の理論言語学の思考法に固執していると理論言語学のサムライ化は逃れられないというのが私の思いです。英語教育に関しても同様です。AI は、吸収されるものでも、逆に、対峙して抗うものでもありません。協働するものなのです。今、私たち理論言語学者は時代の変革期に直面していますが、それは同時に、今こそ理論言語学者の存在意義を発揮する時でもあるのです。

いつも楽しい食卓の話題を提供してくれる家族と
遠い故郷の父母に感謝を込めて
2023 年春

---

i　　生成文法（Generative Grammar）とは、ノーム・チョムスキーによって創始された現在主流の理論言語学派。本書が提案する認知言語学はそのアンチテーゼとして生まれた側面が強く、いくつかの主張で鋭く対立しています。

目次

まえがき　　iii

第1章　ターミネーターの出現 ——————————— 1

1.1　私たちを取り巻く環境の変化 ————————————— 1

1.2　言語学者・語学教師は絶滅危惧種か ———————— 2

1.3　本書の目的 ————————————————————————— 6

コラム1 センメルヴェイス反射 ———————————————— 9

第2章　ディープラーニングのインパクト ————— 11

2.1　はじめに ————————————————————————— 11

2.2　自ら発見する機械 ——————————————————— 11

2.3　理論言語学に与える二つのインパクト ————— 13

2.4　ブラックボックス ——————————————————— 17

2.5　まとめ ——————————————————————————— 18

第3章　大量に聞いて覚えると話せるようになる? —— 21

3.1　はじめに ————————————————————————— 21

3.2　ナイーブな言語習得観 ———————————————— 21

3.3　プラトンの問題 ————————————————————— 23

3.4　ディープラーニングの予測 —————————————— 26

3.5　展望 ——————————————————————————— 28

コラム2 理解と暗記 ——————————————————————— 30

第4章 "常識"で壁を越える —————————— 31

   4.1 はじめに ————————————————————— 31

   4.2 "常識的"かつ"非常識"な用法基盤主義 ———————— 31

   4.3 頻度と定着 ————————————————————— 32

   4.4 必要な不完全性 ————————————————————— 34

   4.5 甘やかしてはダメ ————————————————— 37

   4.6 まとめ ————————————————————— 38

第5章 勝敗は誰が決めるのか? —————————— 41

   5.1 はじめに ————————————————————— 41

   5.2 二つの説明 ————————————————————— 42

   5.3 審判の日 ————————————————————— 45

   5.4 パラダイム ————————————————————— 47

   5.5 同じ現象を異なったパラダイムで見る ———————— 48

   5.6 まとめ ————————————————————— 49

第6章 心の中のマトリョーシカ —————————— 51

   6.1 はじめに ————————————————————— 51

   6.2 有限から無限へ ————————————————————— 51

   6.3 記号演算とマトリョーシカ ———————————————— 53

   6.4 世界は大きなマトリョーシカ ———————————————— 55

   6.5 認識の柔軟性 ————————————————————— 59

   6.6 理論言語学の課題 ————————————————— 61

コラム3 ニューラルネットと言語獲得装置(LAD) ———— 65

第7章 経験がことばに命を吹き込む —————————— 67

   7.1 はじめに ————————————————————— 67

   7.2 何でもありは、何にもなし ———————————————— 67

7.3 経験から得られる知識 ————————————— 68

7.4 大切なことは、目に見えない ——————————— 71

7.5 記号接地問題 —————————————————— 72

7.6 まとめ ———————————————————— 75

第8章 意味は話者の中にある ———————— 77

8.1 はじめに ——————————————————— 77

8.2 形式と意味を対応させる ———————————— 78

8.3 概念はどこにあるのか ————————————— 80

8.4 捉え方がもたらす大問題 ———————————— 82

8.5 まとめ ———————————————————— 87

コラム 4 シミュレーション意味論 ——————————— 89

第9章 意味を育む豊かな土壌 ——————— 91

9.1 はじめに ——————————————————— 91

9.2 「着こなしチェック」って？ ——————————— 92

9.3 意味を育む土壌 ———————————————— 93

9.4 私のような場所がこのような女の子の中で何をしているのか？ —— 96

9.5 カンガルーは食べられるかわからない ——————— 99

9.6 まとめ ———————————————————— 102

コラム 5 用法基盤主義とメタファー —————————— 105

第10章 ベッドに合わせて足は切らない ———— 107

10.1 はじめに —————————————————— 107

10.2 無敵の理論はいらない ———————————— 108

10.3 分断の真犯人 ———————————————— 109

10.4 アヒルと言う、ゆえに、アヒルあり ——————— 110

10.5 ベッドに合わせて足は切らない ————————— 112

10.6 脱循環論 —————————————————— 115

第11章 話すために考える —————————————— 123

   11.1　はじめに —————————————————————— 123

   11.2　言語相対論 ———————————————————— 124

   11.3　捉え方 —————————————————————— 125

   11.4　言語に埋め込まれた捉え方 —————————— 127

   11.5　注意力の限界と習慣化 ———————————— 131

   11.6　話すために考える ———————————————— 134

   11.7　まとめ ————————————————————— 135

コラム 6　「象」について考えるな！ ———————— 137

第12章 外国語教育に別解を —————————————— 139

   12.1　はじめに —————————————————————— 139

   12.2　英語教育に起こりつつある地殻変動 ———— 140

   12.3　外国語を学ぶ意義 ———————————————— 142

   12.4　AI 翻訳の限界 —————————————————— 145

   12.5　おわりに ————————————————————— 148

コラム 7　精読とスキミング ————————————— 153

     あとがき　155

     参考文献　159

第1章

ターミネーターの出現

1.1 | 私たちを取り巻く環境の変化

あまりにも自然に私たちの生活の中に溶け込んでいるので、そのインパクトについては気づかれないことも多いのですが、近年の科学技術の進歩がもたらしたインパクトには計り知れないものがあります。とりわけ、今後、人工知能（AI）がもたらすであろうインパクトは、産業革命や情報革命を凌ぐ人工知能革命の到来すら予感させます。運転手を必要としない自動運転というSFのような世界ももうすぐそこにまで来ているのです。

AIの発展により私たちの生活は格段に良くなるはずです。これまで機械には単純な作業しか任せられませんでしたが、AIを用いれば、今後は事務的な作業や医療診断など、かなり複雑なホワイトカラーの仕事までも機械に任せることができるようになると言われています。企業にとっては大幅な人件費削減が見込めますし、医師不足や遠隔地医療などの問題もそれで解決できます。先に述べた自動運転もそうです。人間が運転するよりもAIが運転した方が安全であるような世界がやってくるかもしれないのです。人口が減少し高齢化が進行した未来の日本社会にとっては、AIはまさに救世主とも言えます。

もちろん、実際には、そのようなバラ色の未来が待っているとは限りません。AIの進歩がもたらす社会変革には負の側面もあるかもしれないのです。まさに映画『ターミネーター』さながらの世界が出現し、AIが人間を

支配するようになるという心配もあるでしょう**1**。それは極論としても、少なくともチャップリンが『モダン・タイムス』の中で危惧したような、機械（AI）に生活の糧が奪われるという事態はもうすでに現実のものとなり始めています。実際、「今後 10 年間に AI に奪われる仕事」や「将来なくなる職業」などの話題も頻繁に取りざたされるようになってきています**2**。ただし、なくなる業種がある一方で AI によって新たに生み出される仕事もありますので、社会全体としてはそんなに心配する必要はないのかもしれません。本当は、バランスをとるために「今後 10 年間に AI によって新たに生み出される職業」などの話題がもっと盛り上がってもいいのでしょう。

　もちろん、AI によってもたらされるこのような社会変革の中で、慣れ親しんだ職業を捨ててまったく新しい環境に移ったとしても、いかんなく自分らしさを発揮できる柔軟な人間ばかりではありません。かくいう私も、「大学教員」はいらない、「言語学者」はいらないなどと AI に宣告されてしまったら、その後どうしたらよいのかわかりません。途方に暮れてしまうでしょう。将来なくなる職業の予想が出るたびにネット上でチェックして、「大学教員」とか「文系研究者」とかが絶滅危惧種に指定されていないことを確かめて、密かに胸をなでおろしているのは私だけではないと思います。これは、これから言語研究の道に進もうとしている大学院生たちにとっても重要な関心事であるに違いありません。

1.2 ｜ 言語学者・語学教師は絶滅危惧種か

　AI による脅威を持ち出す以前に、そもそも言語学者はもしかしたら絶滅危惧種なのではないかと感じることがあります。実際、多くの大学では、言語学の後任人事は凍結され、言語学のポジションがどんどん消えていっています**3**。海外の高名な学者のもとで Ph.D を取得し、国際的に華々しい活躍をしている若手研究者でも日本ではなかなか専門の言語学の授業を持たせてもらえず、英語などの教養科目としての語学の先生になっているケースも多くあります。これは宝の持ち腐れとしか言いようがない状況です。「餅は餅

屋」というように、本来、語学の授業は語学教育の専門家が行い、言語学者は言語学の講義を行ったほうが、学生にとっても教員にとってもいいはずです。それぞれの専門性を十分に発揮できるわけですから。それでも、哲学の先生などは言語学はまだいいと言います。言語学者には語学の先生としてのポジションがあるのだからと言うのです。語学のポジションが見込めない人文系学問分野の場合、その分野のポジションを得るか得られないかが生きるか死ぬかに直結します。言語学者のように飼い殺しの状態になってしまったとしても、生きられているのだからまだましだということです。たしかに、飼い殺しの状態でも語学の授業の傍ら自分の好きな言語学の研究を続けていける言語学者はまだましというわけです。

　ところが、最近の AI の目覚ましい発展を見ていると、言語学者にとっても、そんな悠長なことを言っていられない時代が来るかもしれないという気がしてきます。言語学のポジションが減らされているのは、人文系学問の軽視、予算の削減などの現代の社会的要因や風潮を考えるとある程度は推測できますが、教養科目としての「語学教師」という職業が絶滅危惧種になりうると考える人はまだ少ないでしょう。特に、これからのグローバル化社会においては、英語は最重要科目だという認識がまだまだ根強いからです。

　グローバル化社会だと、なぜ、即、英語なのでしょうか。一般によく耳にする説明は、グローバル化により今後ますます外国人との交流が盛んになり、英語によるコミュニケーションが不可欠になるというものです[4]。本当でしょうか。実際、もうすでに、ポケトーク[5]などの小さな翻訳機やスマートフォンが一台あれば、海外旅行や商取引で困らない程度のコミュニケーションはとれる時代が到来しています。つまり、外国人とコミュニケーションをとること“だけ”が英語を学習する唯一の目的であるのならば、英語教育はもはや不要ということになるのです。

　もちろん、それに対しては、いや、自分は、ただ単に英語で情報のやり取りができるだけでは満足できない、自分のことばで外国人と心のこもったコミュニケーションが取りたいという人もいるでしょう。もっともな願いだと思います。ただ、それは、言ってしまえば、個人的な好みの話になります。

日本人全員が小学校、中学校、高校、大学を通して半ば強制的に英語を学ぶ理由にはならないのです。そのような学生がいるからと言って、日本人全員を強制的に英語でコミュニケーションがとれるようにする必要はないのです。

そろばんに習熟することは有意義であることは間違いありません。しかしながら、電卓やパソコンが普及した今、そろばんはもはや社会生活に必須の技能ではなくなりました。その意味では、そろばんはもはや日本人全員に必修として課すべき技能ではないのです。私は字が下手です。字がもっと上手だったら良いのにと思うことはあります。書道を習いたいなと思うこともあります。しかしながら、パソコンで手軽に活字を出力できる今日、字が汚くて困ったことがないのも事実です。字の上手さはもはや重要度の高い能力ではないのです[6]。これらと同様に、精度の高い機械翻訳が安価で利用できるのであれば、外国語学習も、そろばんや書道と同じ運命をたどるかもしれないのです。できなくても全く生活に支障はないが、できるに越したことはない技能、できることに喜びを感じる習い事、上達する過程それ自体に教育的意義をもつ存在になるというわけです。

ここで大学院生が海外の学会で研究発表する場面を考えてみましょう。今後はこうなるかもしれません。まず日本語で発表原稿を書きます。そして、その原稿を機械翻訳で英語の文章に直します。発表本番は、音声読み上げソフトを用いて AI がその原稿を読み上げます。その後の質疑応答では、参加者からの質問を英語で受け付けます。AI はその質問をその場で瞬時に日本語に翻訳してくれます。学生は、その質問を日本語で理解したうえで、日本語で返答をします。その返答は、もちろん、即座に英語に通訳され質問者に伝えられます[7]。これは今後比較的早いうちに実際に起こりうる未来像です。そして、このようなことが現実になった暁には、多くの学生は英語を学習する必要性を感じなくなるはずです。重要なのは、膨大な時間・労力・お金をかけて身につけた日本人訛りの英語よりも、安価で手軽な機械の英語の方がずっと英語らしくわかりやすいということです。心のこもった下手な英語よりも心など微塵もない AI の英語の方が深い相互理解につながるかもしれないというわけです。機械を用いたほうが、発表する側も発表を聞く側も

お互いに win-win の関係になってしまうのです。なけなしの税金を投入してまで英語教育に国運を賭けなくても、期待以上の成果を機械が挙げ始めているのです。

　数年前、私の勤務校である広島大学では情報科学部を立ち上げました。世界に後れをとっている AI 研究とその教育にも力を入れた、いわば、今後の日本の国運を担う若者たちの育成です。そんな情報科学部の学生に必修科目として英語を教えているなかで、ふと思うことがあります。この学生たちにとっては、英語を勉強している暇があったら少しでも多く AI について学んだ方がよいのではないか。学生の中には、他者とのコミュニケーションよりも一人で何かに打ち込むことに長けている者がたくさんいます。日本語でも気の進まない他者とのコミュニケーションを非母語である英語でしかも必修で無理やり毎週強制される学生たちには同情してしまいます。そんな中でふと思うのは、この学生たちは英語コミュニケーションで頭を悩ますよりも、英語を学ばなくてもコミュニケーションがとれる方法を考えるために頭と労力を使った方がよいのではないだろうか。この学生たちは、将来、各方面でAI を活用した技術や社会制度の開発を進めていくことになるわけですが、その中には自動翻訳や会話をするロボットの研究開発も含まれています。つまり、この学生たちには英語なんて学ばなくても生きられる社会を作るという壮大な夢があってもいいわけです。

　そして、彼らが機械翻訳の精度を上げれば、その分だけ語学教師としての私たちの地位は脅かされていくことになります。また、会話をする AI の精度が上がるということは言語に関する謎が少なからず解かれていくことを意味しますので、その分だけ理論言語学者としての私たちの仕事も脅かされていくことになります。理論言語学者がチャレンジすべき学問的問いが次々にAI によって解決されていくことを意味するからです[8]。とにかく、こんなことを考えていると、実は AI は私たち理論言語学者にとっては、まさに恐るべきターミネーターとなる可能性があることに気づきます。私たちは語学教師としての職務を奪われ、研究者としての研究課題までも奪われてしまうわけですから。

もちろん、このような見方に対しては批判もあろうかと思います。実際、私自身、それでもなお、私たち理論言語学者の存在意義はあると信じて疑っていませんので、上述の話は、ある意味、誇張し極論を並べ立てたものだと思ってください。実際、人間言語について研究している者にとっては、今のAIがやっているようなことや機械翻訳機がやっているようなことは、まだまだ浅く、直ちに私たちの研究を脅かすようなものではないと断言できます。例えば、先に述べた機械翻訳機のポケトークに「今日は天気です。」と話しかけると Today is the weather.（2019 年 10 月現在）、It's the weather today.（2023 年 5 月現在）と英訳してくれます。微笑ましい限りですが、私たちが欲しい英訳は It's fine today. ですので、誤訳ということになります[9]。すぐに思いつくこれに対する対処法としては、頻度情報を活用することです。「今日は天気です。」という日本語表現は It's fine today. という英語表現に対応する確率が圧倒的に高いので、この頻度情報をもとに機械翻訳機が最も確率の高い英訳を選び出せばよいという考え方です。もちろん、これでは根本的な解決にはなりません。個別の表現に目を向けると、「オリンピックの開会式は天気だといいね。」という表現はおそらく出現頻度があまり高くないので、対応する英語表現の頻度情報が使えませんし、小学校の理科の授業の冒頭で「今日は天気です。」と先生が言った場合には、その日の学習内容が「天気」についてであるという可能性もありますので、その場合は頻度情報に基づいて単純に It's fine today. と英訳してはいけないことになります。このような事例は探せばきりがないほど見つかります[10]。ただ、だからと言って、私たち言語学者は安心することはできません。AI の進歩は著しく、かつて不可能だったことがどんどん可能になっているからです。すくなくとも、AI が私たち言語学者の研究スタンスや研究の方向性を大きく変える可能性があることだけは理解しておく必要があります。

1.3 ｜ 本書の目的

　本書では、このような現状を踏まえた上で、それでも理論言語学には存在

価値があること、そして、このような時代における理論言語学はどのような姿であるべきかということを問題意識の根底におきつつ、その答えは、認知言語学（Cognitive Linguistics）、特にロナルド・ラネカー（Ronald W. Langacker）が提唱している認知文法（Cognitive Grammar）の思考法の中にあることを読者の皆さんと一緒に考えていきたいと思っています[11]。それから、本書のタイトルに「AI時代」ということばを入れましたが、私自身、根っからの文系研究者ですし、AIの詳しいメカニズムに関しては理解できていません。そのため、学問的誠実さの観点から見た場合、私にはAIについて語る資格はないと言えます。しかしながら、それでも、今後の理論言語学を語るときにAIについて無視することはできないと考えています。なぜなら、かねてよりAI研究と言語研究が相互に影響を与え合いながら発展してきたことからもわかるように、AI研究と言語研究は協働の関係もしくは共進化（coevolution）の関係にあるからです。そして、現状では、AI、特に、最近のディープラーニングの成功が言語学に示唆するところが非常に大きいと私は考えます。ギヴ＆テイクのバランスでいうと、今は、AI研究から言語研究にもたらされる知見の割合がこれまでにも増して大きくなっているのです。このような観察を出発点とし、文系の極みである一人の理論言語学者がAIの発展を横目で睨みながら言語学の発展を思うというのが本書のスタンスになります。

---

1 技術的特異点またはシンギュラリティなどと呼ばる、AIが自ら自分よりも優れたAIを作り出すことによって人間の能力を遥かに超えていく事態を危惧する考えがあります。これに対し、そのような事態は起こらないとする意見もあります（cf. 松尾 2015: 201–208、新井 2018: 161–165）。

2 どのような職業が今後のコンピュータ技術の発展により機械に置き換えられていく可能性が高いのかについては、Frey and Osborne（2017）の研究が有名です。分析対象となった702種の職業リストには、「言語学者」や「語学教師」という分類がないので、私たち理論言語学者の絶滅可能性に関しては言及されていません。

3 戦禍を潜り抜け100年以上続いた雑誌『英語青年』（1898年〜2009年）（研究社）と、長い間言語学者の議論の場であり続けた『月刊言語』（1972年〜2009年）（大

修館書店）が相次いで休刊となったことは、言語学の終わりの始まりのようにも思われます。

4 実際、東京都は、2023 年度の高等学校入試より英語のスピーキングテストを導入しました。現時点では、評価方法や教育格差の問題など様々な問題が指摘されていますが、ここからもコミュニケーション重視の姿勢がうかがえます。

5 ポケトーク（POCKETALK）とは、ポケトーク株式会社が提供する翻訳ツール。専用機器でもスマートフォンでも使え、2022 年 10 月時点で方言を含む 83 言語同士の通訳が可能です（https://pocketalk.jp/）。また、Mymanu 社の開発した翻訳ワイヤレスイヤホン CLIKS は、リアルタイムでの 37 か国語（2022 年 10 月時点）の音声翻訳が可能です（https://mymanu-japan.com/）。

6 誤解を招かないために繰り返しますが、ここではそろばんや書道が不要であると言っているのではありません。計算する、きれいな字を書くということ "だけ" が目的であるのならば、やりたくない子どもにまで一律に強制する合理的な理由がもはやないと言っているだけです。

7 一昔前は、機械翻訳の精度は非常に低かったため、日本語から英語に翻訳し、その英語を日本語に戻すと、全く別物の話が出来上がってしまうということがありました。原・原（2006）はこの問題を面白おかしく紹介しています。しかしながら、ディープラーニングとビッグデータが利用できるようになった現在では、事情は劇的に改善されています。

8 もちろん、AI が何かを実現したからといって、その何かが理論的に説明されたことにはなりません。しかしながら、両者が全く無関係であると決めつけることもできないはずです。

9 Google 翻訳でも事情はあまり変わらないようです。酒井（2022: 20）では、「みにくいあひるの子」が *Hard to see Ahiru no Ko*、「みにくいアヒルの子」が *Hard to see duckling* と誤訳されたという Google 翻訳の事例が紹介されています。正しい訳は *Ugly duckling* です。

10 人間言語の理解が AI にとっていかに困難であるかは、川添（2017）がわかりやすく紹介しています。認知言語学の観点からは、町田（2015）や鍋島（2020）に紹介があります。

11 認知言語学に関する体系的な理解は、河上（1996）、大堀（2002）、辻（2003）、高橋・野村・森（2018）、鍋島（2020）、児玉・谷口・深田（2020）、碓井・田村・安原（2021）などを参照。認知文法に関しては、ラネカー本人の著作を読むことをお勧めします（cf. Langacker 2008）。

センメルヴェイス反射

センメルヴェイス反射（Semmelweis reflex）という心理現象があります。簡単に言うと、常識はずれの新説を問答無用に排除しようとする人間の心理です。たしかに新しいものにすぐに飛びつく人もいますが、多くの人は古い考えに固執するものです。私も新しくオンライン授業が導入された際にはかなりの抵抗感がありました。もしかするとそれはセンメルヴェイス反射だったのかもしれません。現に、いったんオンライン授業を受け入れ慣れてしまえば、オンライン授業に対する抵抗感はなくなってしまいましたから。

理論言語学者の中には、機械翻訳やAIに対する拒否反応を持つ者が少なからずいます。誤訳や問題を見つけては、鬼の首でも取ったような大騒ぎです。気持ちはわかります。でも、それはただ単に自分に都合のいい証拠だけを集めるチェリー・ピッキング（cherry picking）をしているだけかもしれないのです。実は、理論言語学者の持っているデータにはひどいバイアスがかかっています。その中には自身の理論を検証する目的のために集められた、かなり特殊な事例も含まれています。そのため、手持ちの事例がAIでうまく処理できるかどうかを確かめてみた結果、ことごとくうまくいかなかったとしても、それはAIの能力の一部しか見ていないことになります。

よく「できないことを数えるよりも、できることを数えよう」などとポジティブ思考を勧めることがあります。私はAIに対する眼差しにも同じ態度が必要だと思っています。そのような態度で見てみると、現在のAIは実に多くのことができるようになっていることに気づくはずです。実際、OpenAI社のChatGPTという会話型AIが生成する英語の文章には文法的な誤りがほとんどないほどです。いつの時代も、科学における発想の転換（パラダイムシフト）は難しいものです（cf. Kuhn 1962）。私たちは機械と違って感情を持った生身の人間ですから様々な認知バイアスに晒されていることを常にメタ認知する必要がありそうです。

第2章
ディープラーニングの
インパクト

2.1 はじめに

　第1章では、理論言語学者も絶滅の危機に瀕しているかもしれないと多少大げさに危機感をあおりました。実際、第159回日本言語学会（2019年11月17日於名古屋学院大学）でも「AIによって揺さぶられる言語理論―意味論の観点から―」というタイトルでシンポジウムが開催されましたし、日本英文学会第95回全国大会（2022年5月22日オンライン開催）でも「方法論の深化は理論研究に何をもたらすか―自然言語処理と機械学習を用いた実証的な認知言語学の研究の可能性を探る」というシンポジアが組まれたことからもわかるように、この危機感は私だけのものではないようです。そこで、本章では「彼を知り己を知れば百戦殆うからず」という孫子の教えを出すまでもなく、私たちの敵、つまりAIの本性について見ていきます。とは言っても、私はAIの専門家ではありませんし、生粋の文系人間ですので、難しい数学の話しはスキップせざるを得ません。そこで、一般向けに書かれた『人工知能は人間を超えるか』（松尾豊 著）という本を参考に、今、AI開発で起こっていることの概念的理解を深めていきたいと思います[1]。

2.2 自ら発見する機械

　たまたま、ネット上のニュースで「人工知能（AI）の技術を使って古文

書などに書かれた難読の「くずし字」を解読する試みが、学術界で広がっている。」という記事を見つけました[2]。この記事の中で紹介されている「KuroNet（クロネット）」は、古文書の文章中のくずし字をAIが自動で認識し活字に置き換えるシステムです[3]。あのミミズのような曲がりくねった線から文字を見つけ出すのです。しかも、これを読めるのは人口の0.01％といいますから、きちんとしたトレーニングを受けなければ、普通の人間にはまず読めないわけです。

　基本的にAI研究は構成論的アプローチで人間の知能を解明しようとする学問ですので、実際に「作ってみる」ことが不可欠になります。つまり、実際に作ってみてうまくいけばそれでよし、うまくいかなければまた作り直す、という作業を繰り返しながら人間の知能に近づこうとするわけです。上記のKuroNetはまさに古文書のくずし字を解読するAIプログラムを実際に作ってみたわけです。

　これに対して、ことばを操る機械を実際に作ってみるわけではない理論言語学のような学問は分析的アプローチなどと呼ばれています。私たちは、実際の言語データを基に仮説を立て、その仮説が正しいかどうかを再度言語データを使って検証しますが、実際に、ことばを操る機械を作ることはしません。そして、分析的アプローチから構成論的アプローチに対してよく出る批判は「仮に作ったものがうまくいったとしても、それだけでは人間の知能を解明したことにはならない」のではないかというものです[4]。例えば、鳥が空を飛ぶメカニズムを解明するためには、ただ空を飛べる機械を作っても意味がなく、鳥"のように"飛べる機械を作ってはじめて意味があるのです。つまり、人間と全く同じことができるかどうかにはそれほど意味はなく、人間"のように"考えることができるかどうかが問題になるわけです。

　ところが、現在のAI研究にはそのような批判が当てはまらないことが多くなっています。なぜなら、現在のAIの主流であるディープラーニング（または深層学習）は人間の脳神経回路を模した計算システムを持っているからです。もちろん、複雑さは人間の神経回路には遠く及びませんし、身体などの様々な人間的要素を取り入れていないため、まったく無批判に受け入

れられるわけではありませんが、それでも、人間の脳神経回路をモデル化したものであるという点は、重要な進展だと思います。そして、このディープラーニングの最大の特徴は、大量のデータの中に見られる特徴を自ら発見し学ぶことです。つまり、人間の手を借りず、AI が自ら何かを発見し学ぶことができるのです。専門的には、これは表現学習（representation learning）または特徴表現学習（feature representation learning）と言われています（cf. 松尾 2015: 175–176）。

　実は、以前からコネクショニズム（connectionism）などの名のもとに人間の神経回路を模した AI は存在していました。しかしながら、これらの AI はなかなか成功を収めることができませんでした。その理由には、そもそもコンピュータの力が弱かったという問題もありますが、根本的な問題として、一番重要な部分において人間の手が必要だったということです。つまり、データの中から特徴を発見する部分は人間がやらなければならなかったのです。ディープラーニングがすごいのはこの最も重要で難しい部分を自ら行えるようになったところです。先ほどの KuroNet で注目したいのは、いわゆる古文書に書かれた曲がりくねった線の中から特徴（パターン）を機械が自ら発見し学習していった結果、かなりの精度で文字を判別できるようになったということです。

2.3 ｜ 理論言語学に与える二つのインパクト

　前節で紹介したディープラーニングは、理論言語学にどのような示唆を与えてくれるのでしょうか。私は大きく分けて二つのインパクトがあると思っています。一つは言語観に関わるもので、もう一つは研究方略に関わるものです。

　前者は、認知言語学の理論的基盤の一つとなっている用法基盤主義（usage-based approach）に関わっています。認知言語学では、人間は大量の具体的な表現に接することによりことばを習得し、習得した知識体系を用いてことばを話したり聞いたりするという用法基盤モデル（usage-based model）を理論的基盤としています。これは、豊かな経験の中から特徴（パターン）を発見し、それを学習し、それを使用する人間の神経回路の特徴を反映した言語モデルということです。まだはっきりとした結論を出すには時期尚早かもしれませんが、脳神経回路を模して設計されたディープラーニングは、このような用法基盤主義の考え方と非常に整合性が高い AI のアプローチとであるいうことになります[5]。

　また、理論言語学者の研究方略に関するディープラーニングのインパクトは AI 研究の歴史が参考になりそうです。松尾（2015）によると、ディープラーニングは 2012 年の画像認識の世界大会で飛躍的な前進を遂げました。画像認識大会とは、例えば、様々な画像の中から「ネコ」とそうでないものを振り分けるなど、入力された画像が何であるかを識別するプログラムを競う大会ですが、ディープラーニングを用いたある研究グループがその大会で衝撃的な結果を叩き出したのです。それまでの大会では、一年間で 1% ほどのエラー率の改善が期待されていたのですが、なんと、ディープラーニングを用いたグループはおよそ 10% ものエラー率の改善を成し遂げたのです。なぜディープラーニングはこれほどまでに一気にエラー率を下げることができたのか。これには特徴量設計（feature engineering）の問題が深く関わっています。ディープラーニングの出現以前では、画像認識を行う AI プログラムの特徴量の設計は人間の仕事でした。例えば、「ネコ」を例にとってみますと、研究者たちは毎年行われる大会で良い成績を収めるために、「ネコ」を「ネコ」たらしめている特徴を発見し、それをプログラムに組み込むことに精を出していました。これを特徴量設計と言います（cf. 松尾 2015: 135–138）。つまり、画像認識において肝心要の「ネコ」の特徴は人間が探していたのです。ところが、ディープラーニングでは、なんと、特徴量設計は人間が行うのではなく、AI が自ら行うようになったのです。先ほどの KuroNet の例で言うと、人間が予め「あ」や「い」などの文字のどこに着目したらよいのかをプログラムするのではなく、つまり、人間が文字の特徴量を設計するのではなく、大量の曲がりくねった線から AI が自ら「あ」や「い」などの文字の特徴を抽出する（＝特徴量を設計する）という

ことなのです。

　実は、理論言語学で私たちがやってきた研究の多くは、AI 研究者の視点から見れば、特徴量設計ということになります。例えば、ある単語の意味を研究する場合は、その単語がカバーする意味の範囲を確定するという作業をすることになります。文法に関して研究する場合も同じです。例えば、英語の受身文について研究する場合、英語受身文が容認される条件（または容認されない条件）が何であるかを探求することになります。これらは、「ネコ」をネコたらしめている条件を見つけるのと基本的には同じ作業ということです。したがって、普遍的な原理で書こうが、個別の規則で書こうが、意味的な条件として書こうが、とにかく、私たち理論言語学者がやってきたことは AI 研究の観点から見れば特徴量設計なのです。そして、2012 年以前の画像認識研究と同様、言語学における特徴量設計の更新も遅々として進まなかったはずです。少なくとも私にはそう映っています。たしかに、理論言語学においてもかなり正確に英語受身文が成立する条件（特徴量）を発見することはできましたが、どうしてもその条件に従わない例外が出てきてしまうのです[6]。ただ、問題なのはその先です。もし仮にディープラーニングの波が本格的に言語学の領域にまで入ってきたら、画像認識と同じく、このような特徴量設計の仕事が無くなるかもしれないのです。AI が具体的なデータから自ら特徴量を発見してくれることになれば、構文や語彙などの特徴は今後は AI がコーパスの中から自ら発見することになります。そこに言語学者が介入する余地はないのです。

　コーパス研究にもかなりのインパクトがあるはずです。現在のコーパスはタグ付けを人力で行うことによって様々な用途に利用可能なものになっていますが、この作業はディープラーニングによって格段に楽になるはずです。これまで人間がやっていた単語の切れ目や品詞、構造などの隠れた情報を見つける作業は今後 AI が肩代わりしてくれる可能性があるのです。しかも、ディープラーニングのインパクトはそれにとどまらない可能性があります。なぜなら、ディープラーニングは多量の複雑なデータから特徴量を検出することを得意としているため、現在の研究者がやっているデータから何かを読

み解く仕事が AI に奪われてしまうかもしれないからです。つまり、今まで
は、コーパスによって得られた膨大なデータの中からどのような特徴量を取
り出すかが言語研究者の腕の見せ所だったわけですが、この作業は、ディー
プラーニングの得意とするところでもあるのです。

　以上を先ほどの英語受身文の話に即して考えてみます。コーパス以前で
は、研究者が直感をもとに仮説を立て作例などを通して仮説の検証を行って
きました。例えば、This house was built by my father.（この家は私の父に
よって建てられた。）という受身文は英語として容認されますが、単語を一
つだけ替えた*This house was had by my father.（＊この家は私の父によっ
て持たれた。）が容認されないのはなぜか[7]。このように問いを立てては、そ
れに対する仮説を立て、その仮説をさらなる作例によって検証するという作
業を繰り返しながら一歩一歩進んできたわけです。これに対して、大規模な
コーパスが利用できるようになった今日では、実際に使用された大量のデー
タに様々な統計手法を加え、より現実世界に即した英語受身文の分布を明ら
かにしようとしています。この作業で重要なのは、どんなに大量のデータを
集めたとしても、結局は、どんな特徴に着目しそれらを変数とするかを人間
が設計しているということです。コーパスを用いた研究の成否は、そのデー
タの質や量も無視できませんが、最終的には、人間の力量に頼っているわけ
です。私が言いたいのは、言語研究者にとって最後の砦である何を変数とす
るかという仕事までも AI が肩代わりするようになるかもしれないというこ
とです。ディープラーニングは特徴を自ら発見する能力に長けているので
す。もちろん、ディープラーニングでも取り出せないような特徴量を人間だ
けが取り出せるのなら話は別ですが、人間でも見落としてしまうような癌を
早期に発見したり、ほとんどの人が読めない「くずし文字」を認識する AI
のニュースに触れていると、データの中から特徴を発見するという言語研究
者の一番の楽しみが AI に奪われてしまう日も近いかもしれません。

2.4 ブラックボックス

　このように考えると、ディープラーニングのインパクトはかなり大きいことがわかりますが、それでも、理論言語学者は生き残れるのでしょうか。実は、理論言語学者には一つ奥の手があります。それは何かというと、ブラックボックスという考え方です。実は、ディープラーニングには弱点があります。それは、ディープラーニングは、入力に対して正しい出力が出てくるだけで、その中間段階で何が起きているかについては何も明らかにしないということです。言語学で喩えるならば、AI は容認される受身文と容認されない受身文を正確に区別することはできるようになるかもしれないが、何を基準にどうやって区別しているのかについては何も言わないのです。そして、これがディープラーニングなのです。そのため、仮に、将来、ディープラーニングを用いた AI が人間と普通に会話するようになったとしても、どのようなメカニズムが働いて、ことばを理解し発するのかは依然わからないまま、つまり真相はブラックボックスの中にあるままなので、AI は理論言語学者の脅威にはならないというわけです。そして理論言語学者の仕事はまさにこのブラックボックスの中身を明らかにすることにあるので、AI に仕事を奪われることはないということになるのです。これは、構成論的アプローチに対する分析的アプローチが行う典型的な批判です[8]。

　もちろん、語彙情報をブラックボックスに入力すると正しい文が出力として出てくるというモデル（メタファー）で考えた場合、いくら正しい出力が得られたとしても、ブラックボックスの中でどのような情報処理が行われているかを明らかにする必要があります。ただ問題なのは、このブラックボックスのメタファーの妥当性です。おそらく、このブラックボックスの中には何らかのハードウェアとそれを動かすソフトウェア（規則や原理等）が入っていると想定しているのだと思いますが、人間の脳の神経細胞のネットワークを見た場合、そのようにハードとソフトを分けること自体が誤りかもしれないのです。実際、脳の情報処理過程と記憶過程は明確には分化していないことはよく知られています（cf. 安宅 2017: 38）。つまり、脳内では、基本

的に同じ性質を持った神経細胞同士のつながりで、様々に異なった活動（記銘、保持、想起、情報処理など）を行っているのです[9]。仮に、これらを実行するために最適化され自己組織化された神経細胞のネットワークそのものがハードウェアであると同時にソフトウェアでもあると捉えられるとしたら、そもそもそこにブラックボックスなどないかもしれないのです。

　用法基盤モデルについては第3章以降で詳しく紹介しますが、このモデルでは言語習得も言語運用も区別しません。脳内に張り巡らされた神経細胞のネットワークそのものが学習された知識であり、そのネットワークそのものが正しい出力を生み出す自己組織化された情報処理システムだと考えるからです。実は、用法基盤モデルは言語表現の生成過程について何も説明していないという批判を受けることがありますが、これはディープラーニングに対するブラックボックスの批判と基本的に同じことです。表現の生成も記憶もカテゴリー化の観点からは同じ現象と見なされるため、区別がないのです[10]。このように考えると、そもそも私たちが考えるようなブラックボックスは存在しないかもしれません。その場合、ディープラーニングで学習することによる回路の構造の変化（自己組織化）そのものが私たち理論言語学者が探し求めているものということになります[11]。

2.5 ｜ まとめ

　今のAIがすごいところは、状況の中から自ら特徴を見つけて学習することができるという点です。しかも、それは、人間の脳神経回路を模すことによって可能になったという点も重要です。このように考えると、今のAIは飛躍的に人間の知能に近づいたと言えるでしょう[12]。

　そして、今後のAI研究の動向によっては、理論言語学者がこれまでしのぎを削ってやってきたことが一瞬のうちに水の泡となってしまう可能性もあります。2012年の画像認識世界大会に参加した他の研究者たちの気持ちを考えてみてください。何十年もかけて、一歩また一歩と前進してきた研究が一夜にして否定されてしまったのです。心中推して知るべしです。言語学で

言えば、私たちが血眼になって探してきた構文の特徴や容認される条件を AI が瞬時に見つけ出してしまったらどうでしょうか[13]。

　最後に、理論言語学者が絶滅しないための提案が二つあります。一つは、これからは、AI 研究から得られる知見と矛盾しない言語観を持ちつつ、AI 研究に対して積極的に提言を行っていくこと。そして、二つ目は、AI が得意とする手法は積極的に活用しつつも、これと競合しない研究手法で戦うこと。よく言われることですが、「変化に最も対応できるものが生き残る」（チャールズ・ダーウィン）ということです。AI 研究に頑なに背を向けて研究を続けることはもはや不可能な時代になったのではないでしょうか。

1　本来は、テクノロジーについて議論する際には、技術的理解と概念的理解の両方が必要になります。部外者である私たちにとっては、とりあえず、概念的理解だけできていれば議論を進めるための必要条件がそろっていると考えますが、技術的理解の不足からくる専門家からの批判が予想されることは予めご了解ください。

2　PC Watch（2019 年 10 月 21 日）(https://pc.watch.impress.co.jp/docs/news/1195499.html)

3　人文学オープンデータ共同利用センター「KuroNet くずし字認識サービス（AI OCR）」(http://codh.rois.ac.jp/kuronet/)

4　この問題に関しては、福井はディープラーニングの設計思想の先駆であるニューラルネットの研究者であるエルマンの発言を回想しながら、「研究上の成功」の概念が両主張で異なっていることについて述べています（酒井 2022: 94–95）。

5　ちなみに、松尾（2015: 193）は、言語に関する自身の考えは生得性を主張するチョムスキーのそれに近いという主旨の主張をしています。ただ、私自身は、この本を何度読み返してみても、生成文法とディープラーニングの間に整合性があるようには思えませんでした。ディープラーニングは無から学習するモデルですが、予め言語知識がプログラムされているという生成文法の主張とは根底で対立しているからです。実際、ディープラーニングは生成文法から拒絶もしくは静観されているようです（cf. Chomsky et al. 2023、酒井 2022）。

6　英語受身文の成立の条件は、古くは Bolinger（1975）などによって提案されていますが、その後も多くの例外事例が報告されています（cf. 高見 1995）。

7　理論言語学では、アステリスク（＊）は、仮説を検証するために人工的に作り出された容認されない表現や非文法的な表現であることを示すために用いられます。

8　これに関して、福井は、「（前略）AI の研究者の考え方が、人間の頭の中で本当に起こっていることをモデル化するという初期の認知科学と割と近かった考え方から、機械学習でやれればそれでもいいのだという考え方に変わってきたような気がし

ます」と述べ、現在の AI 研究が目指しているものが、言語学者が目指しているものと異なっていることを指摘しています（酒井 2022 : 94）。

9　もちろん、海馬や扁桃体のような記憶に不可欠な部位はあります。

10　カテゴリー化（categorization）は第 7 章と第 8 章で詳しく取り上げます。

11　認知言語学では、この自己組織化された回路をネットワーク状の図式を用いて明らかにしようとしています。

12　これに対して、酒井や福井はディープラーニングが行っていることと人間の脳内で実際に起こっていることは、全く別物と捉えているようです（酒井 2022 : 82–100）。

13　実際、本書執筆中の 2022 年 11 月に米国の企業 OpenAI が ChatGPT という対話型 AI を発表し世界中を驚かせました。その、まるで言葉の意味を理解しているかのような振る舞いもさることながら、生成された一つ一つの文（センテンス）の文法性の高さと自然さには目を見張るものがあります。日本語はまだ難しいようですが、英語に関しては、ほぼ完璧といってもよいほどの精度の高さです。

第3章
大量に聞いて覚えると話せるようになる?

3.1 はじめに

　前章では、AI研究で現在主流となっているディープラーニング（深層学習）という機械学習の手法について紹介し、理論言語学が生き残るための二つの大きな提案をしました。一つ目は、これからはAI研究から得られる知見と矛盾しない言語観を持ちつつAI研究に対して積極的に提言を行っていくというもので、もう一つは、AIが得意とする研究方法は積極的に活用しつつも、これと競合しない研究手法で戦うというものでした。後者は研究方法論に関するものなので、本書の議論の中で折に触れて検討するとして、本章では、前者のAI研究から得られる知見と矛盾しない言語観を持ちつつAI研究に対して積極的に提言を行っていくことに焦点を当て、理論言語学が生き残る道を探っていきたいと思います。

3.2 ナイーブな言語習得観

　よく「初心忘るべからず」と言うことがありますが、長年、理論言語学をやっていると、初心に戻れなくなることがあります。その一つに「赤ちゃんはどうしてしゃべれるようになるのか?」という多くの人が一度は考えてみたことのある問いに対する考え方があります。言語習得のメカニズムに関する問題です。本書をお読みの方の中には、理論言語学を学んだことがある方

が多いと思いますが、学んだことがない方もいると思います。理論言語学を学んだことがない人たちに、赤ちゃんはどうやってしゃべれるようになると思いますかと尋ねたら、おそらく、次のように答えるでしょう。赤ちゃんは周りにいる大人たちのことばを大量に聞いて、自然とそれらの表現を覚えていって、最終的にはことばが使えるようになる。もちろん、細かいところは人それぞれ異なっているとは思いますが、「大量に聞いて覚えると話せるようになる」という点は共通していると思います。

　ところが、いったん理論言語学（特に、生成文法に影響を受けた学派）の手ほどきを受けると、このような見方をとれなくなります。実際、一般の人たちや TV などに出演している知識人たち（言語学者を除く）が赤ちゃんは「大量にことばを聞いて覚えると話せるようになる」的な考えを当然の事実として捉え、雄弁に語っているのを見るにつけ、言語学者たちは「そんなに単純なもんじゃない」と心の中で突っ込みを入れたりするわけです。もちろん、そのような言語学者たちだって、もともとは、素直に、「大量に聞いて覚えると話せるようになる」的な考えを持っていたはずです。少なくとも、はじめて大学で英語学概論の授業を受けた日の私はそうでした。でも、一度、理論言語学を学んでしまうと、この純粋な考え方にはなかなか戻れなくなるのです。

　そして、この「初心忘るべからず」がいかに難しいかは、松尾の発言からもわかります（cf. 松尾 2015）。前章で説明したように、ディープラーニングを組み込んだ機械は、大量のデータが与えられると、その中から何らかの特徴を自ら発見し学ぶことができます。そして、もし、ディープラーニングがある程度正しく人間の知能をシミュレーションできているとすると、これは人間の学習という営みの本質を捉えていることになります。そして、このことは人間の言語習得に関しても当てはまるはずなのです。つまり、「大量にことばを聞いて覚えていると、その中から文法も含む何らかの特徴を抽出するようになり、その結果、その特徴を用いて話せるようになる」というわけです。そう考えると、実は、赤ちゃんは「大量にことばを聞いて覚えると自然と話せるようになる」という素人的な考えは、あながち間違っていると

は言い切れないのです。少なくとも、ディープラーニングから見たらそういうことになります。ところが、松尾のようなディープラーニングの一人者であっても、一度言語学を学んでしまうと、「大量にことばを聞いて覚えると自然と話せるようになる」という考えには戻れないようです。松尾は、人間は文法構造のようなものを生まれつき持って生まれてくるという主旨の発言をしており、これは、すなわち、人間は、大量のデータ（＝ことば）を聞くだけでは、ことばをしゃべれるようにはならないと考えていることになります（cf. 松尾 2015: 194）。もう少し我慢して、ディープラーニングの設計思想を推し進めてみてもよいのでは？と素人目には思うのですが、一人者だからこそ見える、どうしても超えられない壁のようなものが、言語とディープラーニングの間にあるのかもしれません。

3.3 | プラトンの問題

　それでは、なぜ、言語学者はそれほどまでに頑なに「大量に聞いて覚えると話せるようになる」という考えには戻ろうとしないのでしょうか。この問題について考えるためには、ここでは、チョムスキーがいたるところで触れている、刺激の貧困（poverty of stimulus）とそれに伴うプラトンの問題（Plato's problem）について考えてみます[1]。

　チョムスキーは、赤ちゃんがことばを習得する際に触れる言語データ（周囲の大人たちが使うことばの総体）は、量的に非常に少ないことに加えて、不完全なところがあると指摘しています。例えば、赤ちゃんがことばを習得する際に触れることばには、言い淀みや言い誤り、とぎれとぎれの表現などを含んでいる場合が多いという事実があります。また、ことばを習得する過程で一人の人間が耳にする表現の数は有限個であるにもかかわらず、その人間が作り出したり、理解できる表現の数は原理上無限個であるという問題も指摘しています。さらには、人間が持っている言語知識には、耳にした表現からは到底学習できないような性質を持った知識が含まれているという問題もあります。

このような言語習得における言語データの量的・質的な不足を刺激の貧困と呼びますが、チョムスキーは、それにもかかわらず、人間はなぜほぼ完全にことばを習得できるのか、という問いを立て、これをプラトンの問題と名付けて理論言語学が答えるべき研究課題（research question）としています。要するに、量も少なく質的にも不完全なデータから完全な言語ができるというのは不思議だと言うのです。そして、この事実は、ことばの習得には、単に「聞いて覚える」だけではない、何らかの「からくり」が潜んでいることを示しています。チョムスキーは、この「からくり」のことを普遍文法（Universal Grammar: UG）と呼び、すべての人間が生まれながらにして持っている普遍文法 UG を解明することが、理論言語学の最も重要な研究課題だと唱えていますが、元をたどれば、上述のプラトンの問題が、人間が生得的に普遍文法を備えているという生得性仮説（Innateness hypothesis）を論理的に導き出すのに重要な働きをしているのです[2]。

　要するに、習得できないものを使って私たちがことばを話しているということは、私たちははじめからことばに関する何らかの知識を持って生まれてきたとしか考えられないというわけです。喩えるならば、中身の見えないミキサーの中にミカンを入れてジュースを作ったとします。できあがったジュースを飲んでみたら明らかにミカン以外の味がした場合、それはミカン以外の何かが予めミキサーの中に入っていたとしか考えられないわけです。これは妥当な推論なので、"前提が正しい"ならば疑いようのない事実です[3]。ですので、習得できない知識を使ってことばを話している以上、生得的な普遍文法を想定することに異を唱えることはできません。妥当な推論によって導き出された論理的な帰結だからです。

　では、私たちが習得できないにもかかわらず用いている知識とはいったいどんなものなのでしょうか。以下では、Chomsky（1980）からわかりやすい例を一つだけ見てみましょう（ここでは、わかりやすくするために議論の仕方を変えてあります）。（1）を見てください。

　（1）a.　Who do you want to meet?（あなたは誰に会いたいの？）

b. Who do you wanna meet?

おそらく、英語圏の子どもたちは、（1a）のような表現と（1b）のような表現のどちらも耳にして育つと思われます。そして、この両文は伝える意味が同じなので、（1b）の wanna は（1a）の want to が縮約されて発音されたものだということに子どもたちは気づくでしょう。

　また、同様に、その子どもたちは、（2a）のような表現にも触れる機会があるでしょう。その場合、当然、その子どもたちは、（2a）の want to も縮約して（2b）のように wanna にすることができると考えるようになるはずです。当然の類推です。

(2) a. Who do you want to meet Bill?（あなたは誰にビルに会ってほしいの？）

　　 b. *Who do you wanna meet Bill?

ところが、実際には、（2a）の want to は（2b）のように wanna には縮約されません[4]。つまり、英語では（2b）のような表現は容認されないのです。これはどうしてでしょうか。そして、これが最も重要なポイントなのですが、子どもたちはなぜ（2b）のような言い方はできないことを知っているのでしょうか。

　（1a）と（2a）を比べてみると Who から meet までの語の並び方は全く同じです。異なるのは who が to meet の目的語に当たるのか、主語に当たるのかという違いのみです。そこで、チョムスキーはこう考えます。（2a）の場合は、want と to の間に目に見えない who の痕跡 t が存在し、それが want と to の間に入り縮約の邪魔をしていると。痕跡 t とは、もともと何かがあった場所に残された見えない（＝発音されない）要素と理解してください（t は trace の t）。（3）を見てください。イタリックの t は who の痕跡を表します。（3b）では want と to の間に t が入り、want と to が癒着するのを阻止していますが、（3a）ではそのような邪魔はありません。そのため、

（3a）は wanna に縮約できますが、（3b）は縮約できません。

    (3) a.   Who do you want to meet *t* ? （＝1a）
           b.   Who do you want *t* to meet Bill? （＝2a）

　仮に、この説明が正しいとすると、次の疑問が生まれます。なぜ英語話者は（2a）の want と to の間に目に見えない痕跡 *t* が存在し、（1a）の want と to の間にはそのような痕跡 *t* が存在しないとわかるのか。痕跡 *t* は目に見えない（＝発音されない）わけですから、痕跡 *t* がどこにあるのかを知ることはできません。まして、子どもたちには決してわからないし、習得もされないはずなのです。

　そこでチョムスキーはこう考えます。人間には生得的に普遍文法 UG が備わっており、その普遍的な文法が痕跡 *t* の存在を照らし出していると。子どもたちはこの普遍文法に導かれて痕跡 *t* の存在を知り、適切に処理することができるというわけです[5]。

3.4 ｜ ディープラーニングの予測

　さて、ここまでの議論を整理すると次のようになります。生成文法をはじめとする一般的な言語学者の考え方では、子どもは与えられたデータ（＝周囲で話されていることば）から言語を習得することはできない。「大量に聞いて覚えると話せるようになる」的な言語習得の考え方はナイーブで素人的な発想であり、到底、受け入れられるものではない。もちろん、今後検討する用法基盤モデルなど、言語学者の中にもいろいろな意見がありますので、このように単純に一般化することはできませんが、それでも従来の理論言語学の授業を受けた人はおおよそこのように考えるようにトレーニングされてきたと言っていいでしょう。

　ところが、現在のディープラーニング研究の示す方向はこれとは異なっています。人間の脳の特徴を模したディープラーニングが予測していること

は、「大量にことばを聞いて覚えると自然と話せるようになる」という素人的な考え方でよいということです。実際、現在、大変な成果を上げている大規模言語モデル（Large Language Model: LLM）はこのことを証明していると言えます。もちろん、これに関しても、ディープラーニングは所詮人間の脳の特徴を模しただけであり、本物の脳で起こっていることはもっと複雑な現象であり、したがって、現時点でディープラーニング研究の予測に従う必要はないという反論もあると思います[6]。たしかにその通りです。明らかに、人間の脳内で生じている事象とディープラーニングで学習したAIモデルは同じであるとは言えません。しかしながら、その同じではないディープラーニングで学習したAIモデルは、すでに人間らしいミスまで犯すようになってきているのです。例えば、ディープラーニングで学習した画像認識AIモデルが錯覚（錯視）を起こしたことが報告されています（cf. Watanabe et al. 2018）[7]。実際には動いていない静止画の中に動きを認識したのです。そしてこのことが示していることは、ディープラーニングの設計思想はかなり人間の本質に迫ってきており、無下に扱うことはできないということです。

　ちなみに、錯覚を起こすということは、ディープラーニングを搭載した機械は、外界世界の客観的現実（objective reality）を見ているのではなく、人間と同じように、心的現実（psychological reality）を見ることができるようになってきたということを示しています。つまり、外的世界をそのまま写し取って表象しているのではなく、外的世界から得られた情報に基づきながら心内で構築した心的世界を表象しているのです[8]。このような観察から、Watanabe et al.（2018）は、AIを用いた逆心理学（reverse psychology）の可能性について提案を行っています。人間の心の中で起こっていることをAIでシミュレーションすることによって検証可能にしようというのです。そしてこのことはまさに、ディープラーニングを用いた意味研究が可能になることを予感させます。客観的意味論ではなく、主観的意味論（概念的意味論）をより科学的に扱う道が開けるかもしれないからです[9]。

3.5 | 展望

　注意してほしいことは、ここでは、ディープラーニングが示す言語観と生成文法をはじめとする従来型の言語観のどちらが正しいということを主張しているわけではないということです。そうではなく、どちらの立場をとるのか研究指針を決めかねているのであれば、AI 研究から得られる知見と矛盾しない言語観の方を選んだ方が確実性が高いということです。これは、前章の最後で AI 時代に生き残るために提案したことです。ただし、生得的な何かを仮定するか否かに関しては、排除の誤謬（exclusionary fallacy）に陥らないようにすることが重要です。排除の誤謬とは、一つの現象に関して複数の解釈が存在する場合、一つの解釈が正しければそれ以外の解釈が誤っていると考える認知バイアスで、複数の解釈が同時に正しい可能性やグレーゾーンが存在する可能性を考えないような視野の狭い考え方です。ですので、言語研究においても、ディープラーニングの知見を取り入れたからといって、生得的なものが全くないと考える必然性はないわけです。実際、ラネカーは生得性の有無に関して結論を出すのは時期尚早との立場を崩していません（cf. Langacker 2008 : 8）。

　しかしながら、普遍文法 UG のような生得的な知識の有無に関して白黒はっきりさせるために AI の力を借りることもできます。ディープラーニングを仮説の検証手段と見なすのです。実際、言語処理用のプログラムを予め実装することなしに、大量のデータだけでディープラーニングが言語を習得することができるならば、それは「大量に聞いて覚えると話せるようになる」的な言語習得観が正しいことの強力な証拠になります[10]。逆に、どんなに頑張って大量にデータを与えてもディープラーニングだけでは言語が習得できないということがわかれば、それはそれで、そこに生得的な何かを想定する必要があるということを示唆することになります。つまり、仮説の検証をディープラーニングに任せるというわけです。例えば、want to や wanna を含んだ大量の表現をディープラーニングで学習させただけで、want to の縮約可能性について正確に予測することができるならば、普遍文法 UG の

存在を示す証拠を一つ反証したことになります。このように、ディープラーニングは人間の脳の構造を模して造られているため、一定の範囲内で、仮説の検証する手段になるのです。これは研究方法論に関する提案です。

　本章では、多くの理論言語学者（主に生成文法学者）が当然のこととして受け入れている言語習得に関する現象を考察しました。これを受けて、次章からは、ディープラーニングと親和性の高い用法基盤モデルの観点からこのプラトンの問題について検討していきたいと思います。

1　この問題に関しては、チョムスキーとスキナー（B. F. Skinner）の論争が有名です（cf. Chomsky 1959）。

2　プラトンの問題に関する詳細は、Chomsky（1986）、野村（2004）などを参照。認知言語学からのプラトンの問題に対する批判の論点は山梨（2000: 258–261）にまとめられています。

3　もちろん、前提が間違っていれば、たとえ推論が妥当だとしても誤った結論を導いてしまいます。

4　一般に、音の縮約には出現頻度やスピーチスタイルが深く関わっていると言われています。もちろん、（2）の例からわかるように、それらだけでは音の縮約は完全には説明できません。

5　ここで取り上げた問題以外では、例えば、構造依存性（structural dependency）の問題があります。ことばが構造に依存していることを子どもが知ることができるのはなぜかという問題です。詳しくは、第6章で扱います。

6　例えば、合原（2022: 30）は、「今のディープニューラルネットワークは、脳の構造とは全く違うネットワークになっている」と述べています。

7　さらに興味深いことに、AIに外部入力を遮断するある種の"睡眠"を与えると、人間と同じように、記憶の整理が行われ、過剰学習による忘却が回避されるという研究もあります（Golden et al. 2022）。

8　このことは、ラネカーの言葉を借りるならば、AIも人間と同じように非関与認知（disengaged cognition）を行うことができるということを示していると思います（cf. Langacker 2008: 535–536）。

9　主観的意味論の仮説を逆心理学の手法を用いて検証する可能性については、町田（2022b）を参照。

10　実は、現在注目を集めているGPTなどの大規模言語モデルを支えている自然言語処理モデルTransformerはアテンション（attention）という仕組みを組み込むことで精度を急激に上げることに成功しています（cf. Vaswani et al. 2017）。その点では、大量に覚えるだけでは言語習得や生成はうまくいかないと言えます。アテンションについては、第6章で扱います。

理解と暗記

　本書では、AI 時代における英語学習の意義はコミュニケーションを越えたところにあると主張することになりますが、もちろん、機械を通さずに自分のことばで外国人とコミュニケーションを取りたいという動機を排除するものではありません。

　もしコミュニケーションのために英語を習得したいのであれば、ぜひ、認知言語学およびディープラーニングの知見を取り入れてみてください。つまり、徹底して用例・事例の塊（チャンクと言います）を暗記することです。文脈に支えられた意味を伴った用例・事例の塊を膨大に暗記することで、学習者の脳内には英語の神経ネットワークが形成されることが予測されます。もちろん、外国語として英語を学習することと母語として習得することは様々な点において異なっていますので、一概には言えませんが、少なくとも文法訳読や単語帳の暗記よりは成果が上がる可能性があります。

　もちろん、文法の勉強も必要です。それは、それを用いて言葉を発する（生成する）ためというよりはむしろ、暗記すべき表現の意味を正確に理解するためです。外国語として英語を学ぶ者にとって覚えるべき表現の意味が理解できていることはとても重要なことです。これは、第二言語習得論の巨人クラッシェンの主張にもつながることです（cf. Krashen 1982）。

　文法書や辞書を使って意味を理解したら、音読などを通してチャンクごと、センテンスごと、ときにはパラグラフをまるごと覚えるように努力してみてください。覚え方は頻度を高めることです。頻度に連動して覚えた膨大な記憶に支えられて言語は習得されうることを用法基盤モデルとディープラーニングは示しています（第 4 章、参照）。これまで多くの日本人が行ってきた、文法と単語を別々に覚えたうえで、それらを使って意識的に頭の中で文を組み立てるという作業は、用法基盤モデルやディープラーニングが示している言語習得や言語運用の在り方とは明らかに異なっているのです。

第4章

"常識"で壁を越える

4.1 はじめに

　前章では、「子どもは大量にことばを聞いて覚えると話せるようになる」という一般の人々にとっての"常識"がいかに理論言語学者にとっての"非常識"なのかという問題について紹介しました。生成文法を代表とする理論言語学者にとっては、どう考えても周囲の大人たちが話していることばを大量に聞いただけでは、子どもは話せるようになるはずがないのです。そして、そのように考えることが理論言語学者の"常識"になったのは、チョムスキーが「刺激の貧困」という問題を指摘したからに他なりません。この刺激の貧困のために、ただ聞いて覚えるだけでは人間は話せるようにはならないはずなのです。そこで本章では、この「刺激の貧困」のうち、「人間が触れることのできる言語データには不完全なものが多い」という事実に着目してみます。

4.2 "常識的"かつ"非常識"な用法基盤主義

　実は、上記のような理論言語学者の"常識"に対して異を唱える立場があります。それは、用法基盤主義（usage-based approach）などと呼ばれる考え方で、これによると、人間は実際に用いられたことばを大量に覚えることによって言語を習得していることになります。とりあえず、ここでは、その

ような言語観・研究観があるのだということだけ押さえておいてください。注意しなければならないのは、この考え方はあくまでも言語現象の根源はすべて言語使用（usage event）の現場にあるという研究上の信念（「主義」、approach）であるということです。ですので、用法基盤主義は言語習得だけに適用される考え方ではないということです。したがって、用法基盤主義とは、どんな言語現象にも当てはまる"言語を見る視点"だということになります。そのため、この主義を背景とした研究は、音声、語彙、構文から、社会言語学的研究、ことばの変化に関する研究（歴史言語学）に至るまで様々な領域に見られます[1]。

　さて、実は、この用法基盤主義は"常識的"でかつ"非常識"であるという正反対の側面を持っています。例えば、言語学を学んだことがない学部生や一般の方々に用法基盤主義について話をすると、どんな反応が得られるでしょうか。私の経験から言うと、学部生は「先生、そんなの当たり前でしょ。」と呆れ顔をするか、逆に、「先生！　私も前からそう思ってました！」と目を輝かせます。また、公開授業に訪れた一般の方々からは「そんなの当たり前じゃないか。言語学者にいちいち説明してもらわなくてもみんなわかっているよ。」とバカにされそうになる始末です。つまり、彼らにとって用法基盤主義はあまりにも"常識的"すぎるので学問の香りがしないのです。その一方で、生成文法をはじめとする理論言語学者に用法基盤主義の話をすると、「認知言語学者は何をそんなナイーブなことを言っているんだ。それじゃあ素人と同じだろう。」とこれまたバカにされることになります。つまり、玄人たちにとっては、用法基盤主義は"非常識"だということになるわけです。

4.3 ｜ 頻度と定着

　そもそも、前章で考察したように、大量にことばを聞いて覚えると話せるようになるかという問題については、それは無理だという結論に私たち言語学者は達したはずです。それなのに、なぜ今さら、この"常識"に異を唱え

るのでしょうか。少なくとも、"常識"に異を唱えるのであれば、それなり
の証拠を示さなければならないのは当然のことです。でも、実は、その証拠
を言語理論内で示すというのは案外厄介な課題です。不可能な気もしま
す[2]。そして、そこで登場するのがディープラーニングです。ディープラー
ニングは人間の学習の営みをある程度シミュレートしています。そのため、
予めプログラムされていない、まっさらなニューラルネットワークが大量の
言語データを与えられただけでことばを学習、習得することができれば、そ
れが用法基盤主義は正しい方向を示しているということの一つの有力な証拠
になるのです[3]。例えば、まっさらなニューラルネットワークを、遺伝子操
作で普遍文法を取り除かれた赤ちゃんに置き換えて考えてみてください[4]。
その赤ちゃんは普遍文法を持っていないわけですから、どんなに母語に触れ
ても、決して母語を習得し話せるようになることはないはずです。もし、そ
れにもかかわらず、その赤ちゃんが母語を習得したとしたら、それは普遍文
法が存在しないことを示す有力な証拠になるわけです。もちろん、そのよう
な研究を人間に対して実施することは、倫理上できません。しかしながら、
AI によるシミュレーションだったら問題ないわけです。そして、現在のディ
ープラーニングによる言語学習は、実質的に、それをやっていることにな
るわけです[5]。

　本章では、刺激の貧困の中から、赤ちゃんがことばを習得する際に触れる
言語データ（周囲の大人たちが使うことばの総体）は不完全なところがある
のにもかかわらず、赤ちゃんはことばを習得できるのはなぜかというチョム
スキーが提示した問題に話題を絞って考えてみます。赤ちゃんがことばを習
得する際に触れることばには、「言い淀みや言い誤り」、「とぎれとぎれの表
現」などが含まれていることが多く、"常識的"に考えれば、このような状
況は言語習得の障害になるはずなのです。

　まず、「言い淀みや言い誤り」が含まれるという問題について考えてみま
しょう。当然のことですが、人間は過ちを犯します。チョムスキーは子ども
が触れる言語表現の中には数多くの誤りがあるにもかかわらず、なぜ誤った
表現を習得してしまわないのかと疑問を投げかけています。ただ、この問題

は、ディープラーニングを持ち出すまでもなく、統計的学習（statistical learning）または頻度（frequency）という考え方を取り入れれば、思ったよりも簡単に解決できそうです。例えば、ある子どもが「秋葉原」のことを「アキハラバ」と発音している状況を考えてみます。統計的学習や頻度という概念を理論に組み込んでいない場合は、その子どもが「アキハラバ」という音声を使い続けることを予測します。しかしながら、統計的学習や頻度という概念を組み込んでいる理論では、予測は変わってきます。正しい表現（例えば「アキハバラ」）と誤った表現（「アキハラバ」）ではそもそも出現頻度が違うからです[6]。誤った表現は出現頻度が低いので基本的には記憶に定着しません。そのため、始めは「アキハラバ」と言っていた子どもも次第に「アキハバラ」と発音するようになるでしょう。これは、統計的学習を行っているディープラーニングによる AI モデルに関しても同じことが言えます。留意したいのは、これはことばの問題には限らないということです。記憶の定着に出現頻度が影響するのは、記憶に関する私たちの脳の仕組みの問題であり、つまり、言語を越えた一般認知の特性なのです。

4.4 | 必要な不完全性

　面白いのはここからです。「とぎれとぎれの表現」が多く含まれているのにもかかわらず正しい表現（文法）が習得できるのはなぜかというチョムスキーの指摘はどうでしょうか。「言い淀みや言い誤り」と同じように出現頻度とそれに伴う定着の可能性の問題として解決できるでしょうか。普通に考えたら、おそらく無理です。もちろん、出現頻度が高い表現の一部は頻繁に省略されるようになるでしょう。これは説明できます。しかしながら、日常会話に現れるとぎれとぎれの表現は、そのような出現頻度の高さによる省略では説明がつきません。たとえ一回きりの表現であっても、どんどん"省略"するからです[7]。実際、日常会話を分析しようと思って会話を文字に起こしたことがある人ならこの"省略"のすごさがわかると思います。例えば、次の夫と妻の会話（1）を見てください。これは実際に使われた村田製

作所の CM のセリフを起こしたものです。

> （1）夫：なんだった？
> 　　妻：カメラ。
> 　　夫：うわー。カメラ。
> 　　夫：ぼくの？
> 　　妻：やたら見てたからねえー、カメラ。
> 　　夫：あ、それは言って欲しかったなー。
> 　　妻：きれいに分解できてる。
> 　　夫：そうだけどさー。

正直なところ、文字に起こしただけでは何を話しているかすらわからないと思いますが、これが息子がカメラを分解しているところを夫婦がドアの隙間から覗いている場面での会話だという情報があればかなり理解できると思います。それでも、もしここから完全な表現を復元しなければならないとしたらどうでしょうか。その作業は言語学者にとっても大変なものとなります。（1）において、表現されていない主語や述語などを補うことができますか。例えば、「（あの子が分解しているのは）なんだった？」「（それは）カメラ（だった）。」のように。もし、この作業を子どもが常時頭の中でやっていると考えたら、どうでしょうか。ただただ "すごい" としか言いようがありません。もちろん、これは一般に "省略" が多いとされる日本語に限ったことではありません。次の例はラネカーからの例ですが、英語でも日常生活の中では、かなり "省略" された表現が行き交っていることがわかります。あなたが買い物から帰ってきた場面を考えてください。買ってきた品物を棚や冷蔵庫にしまおうとしていると誰かが手伝ってくれました。その状況で、あなたがトマト缶を手にした相手に向かって（2）のように言うのです。（2a）から（2f）のどの表現も可能です。

> （2）a.　I want you to put the canned tomatoes on the top shelf of the

pantry.

b. Put the tomatoes on the top shelf of the pantry.

c. Put them on the top shelf.

d. Tomatoes, top shelf.

e. On the top shelf.

f. On top.

(Langacker 2008 : 54)

どの表現を実際に使うかは、あなたと相手とがどの程度情報や意図を共有しているかによりますが、重要なのは、(2d) の「トマト、上の棚」の例が示すような、"完全な文"とは程遠い表現を用いるのが私たちの会話の真の姿であり、このような「とぎれとぎれの表現」から"完全な文"が習得できるのは不思議だとチョムスキーは言うのです[8]。

　とりあえず、ここでは意味理解（意図理解）という観点ではなく、純粋に、「とぎれとぎれの表現」から正しい表現（文法）が習得できるのかという点だけを考えてみましょう。上記の例は特別な会話ではありません。私たちの普段の会話に耳を傾けてみればわかりますが、家族や友達との普段の会話はこのようなことばの断片だらけなのです。そして、赤ちゃんはこんなとぎれとぎれの言語データに接しながらことばを習得するわけですから、チョムスキーが正しい表現（文法）を習得するためのデータとしては不完全だと言うのも無理はありません。こんなとぎれとぎれのことばをどんなに大量に集めても、SOV や SVO という各言語の基本語順や主語などの文法概念などは学習されないはずだというチョムスキーの主張には、それなりの説得力があります。それでも、子どもはこのような不完全な表現を大量に聞いて覚えるだけで話せるようになると自信をもって主張することができるでしょうか。それでも主張するとしたらそれなりの証拠が必要となります。実際、この問題は、用法基盤主義をとっている認知言語学者にとって想像以上に重くのしかかってくるはずです。そして、ここでディープラーニングの助けを借りることになります。ディープラーニングに関する知見を持っていると胸を

張って「習得できる」と言えるようになるからです。

4.5 甘やかしてはダメ

多くの方にとって、子どもを甘やかして育てることには抵抗があると思います。甘やかされて育った子どもはストレスや逆境に弱く、ちょっとしたことでもすぐにへこたれてしまうようになるからです。つまり、甘やかしすぎると“生きる力”が育まれないのです。そのため、親はあえて子どもにいろんな試練を与えたりするわけです。しかも、甘やかしてはいけないのは教育だけではありません。健康にも同じことが言えます。あまりにも清潔すぎる環境（無菌状態）に慣れてしまうと、細菌やウィルスなどへの抵抗力が衰えてしまうことはよく知られています。そこで、あえて適度にストレスを与えて頑健な精神や身体を作るわけです。

そして、この甘やかしてはならないという“常識”に気づいたことが機械学習にブレークスルーを起こしたということが松尾（2015: 166–172）で紹介されています。実は、AI 研究においてディープラーニングに近いアイディアは昔からあったそうです。ところが、アイディアは間違っていないという確信はあるのになぜか結果が出せない。そんな停滞期が長く続いていたのだそうです。この停滞を打ち破ったのは、まさに、甘やかしてはならないという“常識”だったというのです。具体的に言うと、機械に入力するデータにあえてノイズを入れる、つまり、良質のデータだけを入力するのではなく、あえて、不完全なデータを混ぜるのです。例えば、ネコの画像を認識させるようにしたければ、正面から写ったネコの写真だけを大量に入力するのではなく、顔が半分しか写っていない写真やひっくり返っている写真など、ある意味、機械にとっては認識しづらい“意地悪な”写真をあえて混ぜておく。そのようにすると何が起こるのか。実は、このようにいじめぬかれた機械は、ちょっとやそっとのことではぐらつかない頑健なネコの特徴を学習するようになるというのです。

これはある意味、逆転の発想でした。普通は、人にものを教えるときに

は、できるだけ親切に教えます。でも、その親切さはむしろ有害になること
もあるということです。本人に深く考えさせるためには、場合によっては、
あえて意地悪な問題やときには悪問まで混ぜたほうが本人のためになるとい
うことです[9]。そして、このように不完全なデータを混ぜることによって、
ディープラーニングの精度は格段に上がることになります。学習をより強固
に行うためにはむしろ不完全なデータを利用するべきだということなのです。不完全なデータで学習した方が頑健性、柔軟性を持つようになるのです。

　このようなディープラーニングの研究から言語習得に示唆されるところ
は、子どもが言語習得の際に触れる日常会話のデータは不完全であってもよ
いということです。「言い間違いや言い淀み」、「とぎれとぎれの表現」が多
く含まれているという事実は、チョムスキーが言うように言語習得を困難に
するのではなく、むしろ、頑健な言語知識を構築するのに不可欠な要素だっ
た可能性があるということです。少なくとも、脳内の神経回路を模したディ
ープラーニングは、そのように示唆しているのです。

4.6 ｜ まとめ

　今回は、プラトンの問題の中の「人間が触れることのできる言語データに
は不完全なものが多い」のになぜ子どもはことばを習得できるのかという問
題について考えてみました。そして、この問題を考える際に、ディープラー
ニングの知見を参考にするのがいかに有効であるかということも考えてみま
した。重要なのは、この問題に関しては、言語学内で議論していてもなかな
か答えが見えてこないということです。そして、他分野である AI 研究の研
究成果を取り入れることで答えが見えてくる可能性があるのです。

　このことは逆に、チョムスキーの言うように「言い淀みや言い誤り」「と
ぎれとぎれの表現」をしない、理想的な話し手・聞き手（ideal speaker and
hearer）から得られた完全な言語データだけを子どもが聞いて育ったとする
と、ディープラーニングの停滞期がそうであったように、ちょっとやそっと
では揺るがない頑健な言語知識を身につけることができない可能性があるこ

とも示唆しています[10]。つまり、チョムスキーの懸念は実は全く逆で、むしろ、言語データは不完全である方がよく、完全なデータだけでは言語習得の妨げになるかもしれないのです。

そのように考えてみると、英語教育について、ふと思い当たる節があります。書き言葉で書かれた教科書、つまり、完全なフルセンテンスだけで書かれたような教科書では、自然な英語力は身につかないという批判をよく耳にします。教科書英語は不自然でそのままでは日常会話には即さないというものです。実際、かなりの特殊な文脈がない限り、(2a)のような完全な文は日常会話では用いられません。しかしながら、このような教科書的な英語が習得に結びつかいない本当の原因は、そのまま日常会話で使えないことだけではないかもしれません。そうではなくて、私たちの脳の構造上、そのような純粋培養された親切な言語データからは頑健で柔軟な言語知識は育たないからなのかもしれないのです。完全な文で甘やかされた私たちの神経回路には、自然な環境で使える頑健性が育まれないというわけです。教科書英語が使えないと言われる原因の一端はここにあった可能性があります。

1　具体的な表現を重視するという用法基盤主義的な立場に立つ研究の成果は今では膨大な数に上っています。有名なところとしては、例えば、Langacker（1990, 1999a），Barlow and Kemmer（1999），Tomasello（2003），Bybee（2006a），Talyor（2012）などが挙げられます。

2　もちろん、言語理論内で用法基盤主義の正しさを証拠づける試みは現在進行形で行われています。しかしながら、そうして積み上げられた証拠も前提を共有しない他の学派にとっては有効な証拠として意味をなさないことが問題なのです（cf. 第5章）。

3　黒田（2007/2012）では、膨大な使用事例の記憶による言語習得の可能性を検討することの必要性が説かれています。実際、DeepMind 社の MuZero という囲碁や将棋などのゲームをこなす AI は、あらかじめルールを与えなくても、大量の事例からそれぞれのゲームのルールを自ら発見することができると言われています（cf. Schrittwieser et al. 2020）。これだけを見ても、言語使用事例だけから、いわゆる"文法ルール"を AI が自ら学ぶ可能性は検討に値すると思われます。

4　実際には、普遍文法が何かがわかっていないわけですから、脳内のいろいろな部位を遺伝子操作等で一つ一つ不活性化させることになると思います。

5 ただし、現在の大規模言語モデルでも、アテンションの仕組みは予めプログラムされる必要があります（cf. Vaswani et al. 2017）。その意味では、言語に必要な生得性は、アテンションであることを示唆しています。ただ、アテンションが言語に特有（language-specific）のメカニズムかと言われれば、そうではないと言えると思います。

6 言語習得における頻度の役割について、詳しくは Tomasello（2003）を参照。

7 「省略」という言葉には「本来あるべきものを省く」というニュアンスがあります。従来の言語学では、文法的なスロットがすべて満たされた"完全な文"を前提としていましたので、ここで検討しているような表現は「省略」によってできた表現ということになります。もちろん、"完全な文"を前提としなければ、これらの表現に「省略」があるとはみなせませんので、ここではいわゆる省略という意味で"省略"と表記しています。

8 逆に、日常会話では、（2a）のような完全な文の方がむしろ不自然なことが多いと思います。ただし、生成文法では（2a）が不自然なことは問題にならないはずです。（2a）の不自然さは、言語能力（competence）からくるのではなく言語運用（performance）からくると説明されるからです。

9 ただし、機械学習に対する"意地悪"には有益なものと有害なものがあるようです。「敵対的ノイズ」と呼ばれる"意地悪"なデータを AI に学ばせると、人間には起こりえないような間違いを起こすようになるそうです（cf. 合原 2022: 33–34）。

10 ここで言う「理想的」とは、経験科学における「理想化された」という意味です。高校の物理の問題などでよくある「ここでは摩擦はないものとする」のような但し書きがこれに相当します。現実世界ではありえないけれども、論点と関係ない雑多な要素を無視した理念上の事象ということです。決して、誰にとっても手本となるような素晴らしい話し手聞き手という意味ではありません。

第5章

勝敗は誰が決めるのか？

5.1 はじめに

　よく、"強いものが勝つ"と言いますが、実際の勝負の世界では"ルールを味方につけたものが勝つ"という側面もまた無視することはできません。例えば、フィギュアスケート。フィギュアスケートでは、技術点や演技構成点など、様々な要素を勘案して総合的に採点されることになります。そして、どんな要素を評価項目に入れるかや配点の仕方によって順位が影響されることになりますので、これらが変更されれば、順位も変わってくることになります。つまり、勝敗は思った以上にルールに依存しているのです。そのため、スポーツ界ではルール変更は死活問題になります。かつて1990年代に常勝軍団と言われた日本のノルディックスキー複合チームはこのことを痛いほど経験しています。ノルディック複合競技では、前半ジャンプの飛距離を時間に換算して、後半のクロスカントリーのスタート時間に差をつけるのですが、この換算式がちょっといじられただけで、常勝軍団が苦戦を強いられることになったのです。

　科学理論にも勝敗はあります。有名なのは地動説と天動説の争いです。同じ現象を説明する理論が複数あった場合、どの理論が最も妥当性が高いか勝敗を決めるのです。ところが、科学理論上の勝敗には、意外にも、スポーツの場合と同じく、ルールによって左右される部分があります。そして、そのルールを誰が決めるかというと、トマス・クーン（Thomas Kuhn）が指摘

しているように、その時々の学問的風潮であるパラダイムに従って決めることになります（cf. Kuhn 1962）。そこで本章では、理論の勝敗を決めるルールについて考察してみたいと思います。

5.2 ｜ 二つの説明

　第3章でプラトンの問題を紹介しましたが、その中に、「人間が持っている言語知識には、耳にした表現からは到底学習できないような性質を持った知識が含まれているのに、子どもがことばを習得することができるのはなぜか」という問題がありました。例えば、（1a）は言えるのに（1b）は言えないということは英語母語話者であればだれでも知っていますが、生成文法に従えば、このことは、少なくとも、（1a）では、want と to の間に何もないので want to が縮約されて wanna と発音されるのに対し、（1b）では、want と to の間に発音されない痕跡 t があるので want to の縮約はできないということを英語母語話者は知っていることを意味していることになります（3.3 節を参照）[1]。

> （1）a.　Who do you wanna meet?（誰に会いたいの？）
>   b.　*Who do you wanna meet Bill?（誰にビルに会ってもらいたいの？）

これを受けて、チョムスキーは問います。なぜ、（1b）の want と to の間には発音されない痕跡 t があることを母語話者は知っているのか？　この痕跡 t は発音されないわけですから、話者にはその存在を知る由もありません。そのため、このような知識は習得できないはずなのです。そして、このように習得できない知識を用いて人間はしゃべっているという事実は、この知識が予め脳内に埋め込まれていることを強く示唆していると言うのです。

　さて、これに対して、認知文法的な考え方ではどのように反論するのでしょうか。認知文法的な思考法を用いると、まず、wanna は単なる音声だけ

の縮約ではないことになります。wantとtoという2語が、wannaという1語になったのだと考えるのです。では、なぜ1語とみなされるようになったのかと言えば、それは文法化（grammaticalization）と呼ばれる現象だと考えます。文法化とは、語彙的な要素（内容語）が文法的な要素に拡張していく現象です（cf. Krug 2000）。例えば、be going to が未来を表すことは中学校で学びました。厳密にはイコールではないのですが、will＝be going to と習ったはずです。この場合の going は文字通りの「行く」という移動を表していませんが、もともとは、（2a）の「手紙を出しに行く」のように、移動を表す動詞の go の進行形だったわけです。それが、徐々に、移動の意味が無くなり、（2b）の「明日は雨が降る」のように、未来の出来事を表すようになります[2]。このように be going to の意味が拡張していく過程で、文の主語と to 不定詞の主語が一致するようになります。（2b）の It は rain の主語ということです。これを透明性（transparency）と言います（cf. Langacker 1999a）。そしてこの透明性を帯びるようになると、be going to はもはや3語ではなく1語の助動詞であるかのように見なされ、最終的には、（2c）のように本当に1語 gonna になってしまいます。意味的に1語であるなら、形の上でも gonna という1語になってしまうのもうなずけます。このように、普通の単語（内容語）が助動詞のような文法要素としてみなされるようになる現象のことを文法化と言います。

(2) a. I am going to post the letter.

b. It is going to rain tomorrow.

c. It gonna rain tomorrow.

　同様に、want to という2語が意味的に1語に感じられるようになれば、wanna という1語になってしまうのも無理のないことです。（3a）の will と（3b）の wanna は、さすがに意味的にイコールとまでは言えませんが、それでも似ている点はあります。例えば、ともに直後の動詞 go が原形になっている点やパーティーに行くのはともに文の主語 I である点（透明性）、主

語がパーティーに行くという意志（intention）を持っている点なども似ています。つまり、（3b）の wanna は助動詞に似ているところがあるのです。

(3) a. I will go to the party.
    b. I wanna go to the party.

では、なぜ先ほどの（1b）の *Who do you wanna meet Bill? は容認されないのでしょうか。それは、（1b）の *wanna は、意味的に助動詞に似ていないということに尽きます。つまり、（1a）の wanna は助動詞に似ているが、（1b）の *wanna は助動詞に似ていないということが、（1）の容認性の差異を生みしていると考えるわけです。実際、（1b）の *wanna は決定的に助動詞に似ていないところがあります。それは、通常の助動詞は透明性を持っているのに、（1b）は透明性を持っていないというところです。（1a）の Who do you wanna meet? の文の主語は you であり、これは meet の主語でもあるわけですが、（1b）の文の主語は you であるにも関わらず、meet の主語は you ではないのです。また、（1a）では、主語が会いたいという意志を持っているのに対し、（1b）では、主語は会いたいという意志を持っていません。

　当然、この他にも様々な分析がありえますが、とりあえず、生成文法と認知文法の主張をまとめると（1b）において want to が wanna と縮約されない理由は次のようになります。

　生成文法：（1b）では want と to の間にある痕跡 t が縮約を阻害している。
　認知文法：（1b）の want to は助動詞らしさに欠けるため 1 語とはみなされない。

　もちろん、文法化からの説明に対する反論はあります。want はあくまでも動詞であって、（1a）や（3b）の wanna も助動詞ではないという反論で

す。もし仮にこれらが助動詞であるのであれば、（4）に示すように疑問文では主語－助動詞の倒置（Subject-Aux Inversion）が起こるはずだ、しかし、実際には do you wanna 〜 ? になり *wanna you 〜 ? になっていないではないかというものです。

(4) a. Who will you meet?
    b. *Who wanna you meet?

このような反論に対しては、wanna は助動詞っぽい性質を持ってはいるが、厳密には助動詞とは言えないと答えるしかありません。もちろん、このように動詞と助動詞の間にグレーゾーンを認めるというのは苦しい言い訳にすぎないというわけでもありません。動詞か助動詞かという二者択一の答えだけを良しとすること自体が現実に即していないと考えられるからです[3]。実際、他にも、ought to や have to など、動詞と助動詞の中間のような例はたくさんありますし、助動詞が動詞から徐々に変化したものであるという英語の歴史を考えると、グレーゾーンの存在は、むしろ、積極的に理論構築に取り入れていく必要があるのです[4]。

重要なことは、上記の説明では、チョムスキーの言うプラトンの問題「人間が持っている言語知識には、耳にした表現からは到底学習できないような性質を持った知識が含まれているという問題」自体が生じないということです。音を伴わない痕跡 t を仮定する必要がないからです。子どもは（1）の容認性の違いを wanna の助動詞っぽさの違いから容易に推測することができるのです。

5.3 | 審判の日

ここでは二つの異なった説明の例を示しましたが、どちらの説明がより妥当性が高い説明と考えますか。「助動詞っぽい」というあいまいな説明を用いる認知文法の説明は科学的厳密性に欠けるでしょうか。いや、むしろ、グ

レーゾーンを仮定する方が心理的現実に即しているため妥当であると考えるでしょうか。ここで、本章の冒頭で取り上げた勝敗を決めるルールが重要になってきます。要するに、どのような採点基準（評価基準）を理論の評価に用いるかによって勝敗が変わってくるということです。そして、その基準を決めるのがパラダイムということになります。

　認知言語学のパラダイムでは、勝敗の基準をことばの成り立ちつまり言語の進化にまで掘り下げて次のように考えます。言語の進化について議論する場合、人間という種の生物学的進化について考えることはよくあります[5]。ただ、その一方で、言語それ自体が進化（変化）していることも事実です。言語は、はじめから現在のような複雑な構造や文法を持っていたわけではありません。単純な叫び声の段階から徐々に複雑な構造や文法を持つ現在の言語へと進化してきたのです[6]。つまり、言語学者は人間の生物種としての進化を見るのと同時に言語それ自体の進化も見なければならないのです。

　一般に、進化を議論する場合、自然淘汰を促す淘汰圧というものを考える必要があります。この淘汰圧が何かによってどのような子孫が残されるかが決まってくるわけですから、淘汰圧が何かを特定することは極めて重要な課題です。では、言語進化における淘汰圧とはなんでしょうか？　どんな言語が生き残るのかという一つの言語全体の存続の話になると、政治力、経済力、軍事力、文化力、などが生き残る言語の淘汰圧ということになります。例えば、英語が現在のように世界中で普及しているのは、これらの要因が複雑に絡み合った結果だと思われます[7]。それでは、言語内の個別の表現や文法にかかる淘汰圧はいったい何でしょうか。どのような表現や文法が後世にも受け継がれるのかという問題です。もちろん、一概には言えないことですが、習得のしやすさという条件はかなり強い淘汰圧となるはずです。つまり、どんな子にも習得できるという特徴を持った表現や文法が後世に引き継がれるということです。当たり前のことですが、一部の優秀な子どもにしか習得できないような表現や文法は、次世代には受け継がれていかないため、次第に消えていく運命にあるということです[8]。例えば、仮に知能指数IQ130以上の子どもにしか習得できないような文法が偶然生まれたとしても、

46

そのような文法を用いて話す話者の数は次第に減っていき、最終的には消えてしまうでしょう。つまり、言語進化を考えると、どんな子にも習得できる文法だけに落ち着くはずなのです。言い換えると、習得できない文法はないということになります（cf. Deacon 1997）。このように考えた場合、習得できない要素である痕跡 t を用いた説明は、認知文法のルールではそもそも採点対象になりません。サッカーで言うと、手を使ったゴールのようなものですから。

5.4 | パラダイム

　本章で考えたかったのは、認知文法が正しくて生成文法が間違っているということではありません。認知文法と生成文法では採点基準が違うということです。スポーツで喩えるならば、同じ競技なのに採点基準が異なっているということになります。これでは、勝敗を決めても意味がありません。どちらの採点基準を用いるかによって、どちらに軍配が上がるかが決まってしまうわけですから。では、その採点基準を統一すればよいではないかということになりますが、なかなかそうはいきません。なぜなら、この採点基準は恣意的に決められているわけではなく、それぞれの学派がよって立つパラダイムに従っているからです。

　よく、認知文法（認知言語学）の説明はあいまいであると批判されることがあります。この批判の背後には、「ゆえに、認知文法は反証可能性がない。ということは、認知文法は経験科学ではない」という意味が込められています。科学である以上、あいまいな記述や説明はご法度だからです。ただ、この批判も認知言語学のパラダイムから見たら、必ずしも妥当なものとは言えません。なぜなら、認知言語学では、自然なカテゴリーの境界線は本来あいまいなグレーゾーンを含む場合が多いという知見を心理学などの研究結果から採用しているからです（cf. Taylor 2003）。実際、動詞と助動詞の間にはどちらともとれるような表現、例えば、have to（hafta）、ought to（oughta）のような表現があり、カテゴリーの境界線上にはあいまいなグレ

ーゾーンがあると考えるほうがむしろ自然なのです[9]。このように、グレーゾーンがいたるところにあることは周知の事実ですし、認知言語学のパラダイムでは、このグレーゾーンを適切に扱える理論の方がむしろ高得点が与えられるわけです。

5.5 | 同じ現象を異なったパラダイムで見る

　ちなみに、言語はどんな子でも習得できるようにできているはずだと考えるパラダイムから見ると、チョムスキーが普遍文法の根拠の一つとしている以下の言語事実にも異なった捉え方が与えられます。後天的な学習には通常個人差があり、算数が得意な子がいる反面、苦手な子がいたり、絵が上手に描ける子がいる一方で、下手な子もいることは疑いようのない事実です。このように、通常、後天的に習得する技術や知識には個人差が生じるのです。ところが、言語に関しては、そのような個人差がありません。ある言語共同体の中で育てば、ほぼ一様にすべての子どもがしゃべれるようになるのです。これを受けてチョムスキーは、それは、どの子にも一律に生得的な言語能力が備わっているからだと結論づけます。二足歩行に上手い下手がないのと同じように人間の生得的な本能である言語能力にも高い低いがないというわけです。

　これに対し、言語自体の進化を考えるパラダイムでは、同じ事実に関して全く異なった説明を与えることができます。それは、どの子にも習得できるような表現や文法だけが進化の過程で生き残ってきたので、言語習得に落ちこぼれは存在しないという説明です。つまり、言語習得が一様に行われるのは、普遍文法 UG の仕業ではなく、言語進化の結果だというわけです。

　このように、異なったパラダイムを通して同じ現象を見ると異なった帰結が出てきてしまうということがあります。これも言語研究を難しくしているところです。

5.6 まとめ

　本章で検討した二つの異なる説明のどちらがどれほど妥当性を持っているかということは、言語学内で議論している限りにおいては、なかなか決められません。そこで外部からの意見を参考にするわけですが、本書で再三強調しているように、ここでも AI 研究の知見が大変参考になるわけです。

　では、AI 研究は私たちに何を示してくれるのでしょうか。まず、第 3 章、第 4 章で議論したように、あらかじめインストールされたプログラムなしに、与えられたデータだけから知識を学習するというディープラーニングの試みは、認知文法のパラダイム（用法基盤主義）の妥当性を強力に後押ししています。実は、あいまいなカテゴリー境界をどのように扱うかという問題は、ディープラーニング以前の AI 研究が長年苦労してきた課題でもあったのですが、ディープラーニングではこの課題を見事にクリアしています。例えば、画像認識の分野では、猫らしくない猫と猫みたいに見える猫ではないものの扱いに苦労してきたわけですが、ディープラーニングはこれを適切に扱うことができるのです。つまり、人間の神経細胞のネットワークを模したディープラーニングは、経験から獲得される概念（カテゴリー）は、そもそもそのようなあいまい性（程度問題）を備えているものであることを予測しています。このようなことからも、助動詞を「助動詞らしさ」の程度の問題と考えることは、ディープラーニングからも支持されていると考えてよいと思います。

　サッカーでは手は使えません。これはルールで決まっています。ですので、どんなにピンチでもゴールキーパー以外のサッカー選手は手を使えないのです。そのことを知らずに、「手を使えー！」などとヤジを飛ばしても、（もちろん、反則を承知で手を使うこともありますが、）意味がないのです。それと同じで、どんな難問にぶち当たっても、どんなに説明のために便利であったとしても、認知文法研究者は習得できない要素を用いて説明することはできません。これは、認知文法研究者の自由度をかなり制限することになります[10]。しかも、ここでは wanna の縮約可能性だけを論じましたが、当

然、痕跡 t 以外にも習得できない要素を用いた生成文法の説明はたくさんあ
ります。そして、認知文法研究者は、その一つ一つに対し習得できる要素だ
けを用いた代案を示していかなければならないのです。スポーツのルールと
研究上のルールはその存在理由が全く異なりますが、厳しい制約の中でプレ
ーするからこそ生まれる創造的なプレーを期待したいところです。

1　ちなみに、(1a) タイプの表現は、自然な会話では非常に稀なケースであると Krug
　　(2000: 141) は述べています。
2　be going to が未来を表すようになるメカニズムについては、町田（近刊）を参照。
3　このようにグレーゾーンを認めず二者択一を迫る考え方を誤った二分法（false di-
　　chotomy）と言い、認知文法ではこのような考え方に陥らないよう注意を払ってい
　　ます。
4　Quirk et al. (1985: 137) は、ought to を周辺的法助動詞（marginal modals）、
　　have to を準助動詞（semi-auxiliary）と呼んでいます。
5　例えば、藤田・岡ノ谷（2012）、Everett (2017) などがあります。
6　単純な叫び声から言語が始まったという説には異論があります。ジェスチャーが言
　　語の起源だという説です（cf. Corballis 2002, Tomasello 2008）。しかしながら、い
　　ずれの説をとるにしても単純な形式から複雑な形式へと進化したという点に関して
　　は異論はないと思います。
7　ちなみに、なぜ英語が現在国際的な標準語のような地位を得ているのかに関して、
　　英語という言語自体の優位性（語彙が豊富、文法が洗練されている、など）を説く
　　論調が言語学者以外から出されることがありますが、おそらくそのように考える言
　　語学者はいないでしょう（cf. Phillipson 1992, Harlow 1998, Dixon 2016）。
8　もちろん、これ以外にも出現頻度や文化の変容などさまざまな要因が考えられます。
9　カテゴリーは、通常、プロトタイプと呼ばれる典型的成員だけでなく非典型的で周
　　辺的成員からも形成されていますが、構文カテゴリーにおける非典型性は、Taylor
　　(1998: 198) によると、容認度の低下ではなく使われる文脈（分布）が限定される
　　という形で現れます。
10　認知文法に課される厳しい制約に関しては第7章で扱います。

第6章

心の中のマトリョーシカ

6.1 | はじめに

　ここまで、生成文法が掲げているプラトンの問題とそれに対する認知文法の考え方を一つ一つ見てきました。残すは、有限から無限を生み出す表現の生成のメカニズムに関わる問題です。本章では「ことばを習得する過程で一人の人間が耳にする表現の数は有限個であるにもかかわらず、人間が作り出したり、理解できる表現の数は原理上無限個であるのはなぜか」という問いについて考えます。

6.2 | 有限から無限へ

　まず、これまでの議論を振り返ってみます。第3章以降、従来の言語学からは非常識と見なされている「大量に聞いて覚えると話せるようになる」という考え方は、実は、ディープラーニングの設計思想から見るとそれほど非常識ではないことを見てきました。実際、認知文法では大量に表現を覚えることが重要であり、そのようにして大量に覚えた表現を用いて私たちはことばを使っているという用法基盤主義を唱えています。

　そして、上記のように主張すると、必ず、次のような批判を受けることになります。もし覚えた表現を用いてしゃべっているのであれば、当然、実際に使われる表現の数は覚えた表現の数と同じかそれよりも少なくなるはずで

ある。ところが、実際に使われる表現の中には覚えた表現ではないものが多く含まれている。この事実は、表現を覚えただけではことばを使うことはできないということを示しているのではないかというものです。実際、（1）のような文を私は作ることができますし、読者の皆さんもこの文を理解することができます。それにもかかわらず、この文はどこかで使われたものを私が覚えていてそのままここに書き出したわけではありませんし、もっと言うと、この文はおそらく人類史上初めて出現した文でしょう。

　（1）　ドラ猫を抱えたおサカナくんを追っかけて、スキップで出かけて
　　　　　いく、ひょうきんな磯野さん。

　他にも、覚えている表現をそのまま再現しているわけではないことを示す証拠はあります。それは、人間の言語は、文の長さを無限に長くできるという性質を持っているという事実です。例えば、（2）を見てください。

　（2）a.　これはノミのピコ。
　　　 b.　これはノミのピコの住んでいるネコの五右衛門。
　　　 c.　これはノミのピコの住んでいるネコの五右衛門の尻尾踏んづけ
　　　　　たあきら君のマンガ読んでるお母さんがお団子を買うお団子屋
　　　　　さんにお金を貸した銀行員…

（2）は『これはのみのぴこ』（谷川俊太郎作）という絵本からの引用です（原文はすべてひらがな）。この絵本では、ページをめくるごとに文がどんどん長くなっていくのですが、言語学者として興味深いのは、この作品が示しているように、文を長くすることには原理上限界がないということです。そして、これらの事実は、人間の記憶量は有限であるのに、実際に使われる表現の数は無限個であり、かつ、一つの文だけを見ても、その長さに限界がないのはなぜかという問いを言語学者に投げかけることになります。そこで、チョムスキーは理論言語学の目標の一つに有限個の規則もしくは原理から無

限の表現を生成する文法を明らかにすることを掲げたわけです。これは一般的な理論言語学の教科書の最初の方に出てくるお決まりの話しです（cf. Radford 1981: 19–21、中村・金子・菊池 1989: 5）。

　ただし、これらの事実は、表現を覚えただけではことばを使うことができないことは示していますが、大量に覚えること自体が無意味であるとまでは示していないことに留意して下さい。実際、認知文法が掲げている用法基盤主義では、覚えた表現をそのままオウム返しに用いると主張しているわけではありません。覚えた表現をそのままオウム返しにするのではなく、大量に覚えた表現から抽出された抽象的なイメージ（スキーマと呼ばれる）を用いて無限の表現を新たに作り出すことができると考えるのです。ですから、上述の批判は当たっていないことになります。用法基盤主義が取り組んでいるのは、覚えた表現をもとにして、新たな表現を無限に作り出す認知メカニズムの解明なのです。

6.3 ｜ 記号演算とマトリョーシカ

　ちなみに、有限から無限へという問題は、言語の特徴の中に記号演算とマトリョーシカ（入れ子）を見ることで簡単に解決できます。まず、記号演算について理解するために、少しバカらしい問いを立ててみましょう[1]。1＋1＝2のような二つの数の足し算は、この世界に全部で何個ありますか。もちろん、答えは無限個ですよね。なぜなら、11＋12＝23、600＋5＝605…と具体的な足し算を数え上げていっても永遠に終わらないからです。この永遠に終わらない足し算を全部覚えなさいと言われたらどうでしょうか。絶対にイヤですよね。でも、二つの数の足し算は小学生にだってできるのです。それは、足し算をX＋Y＝Zという記号の演算操作として理解し、XやYに具体的な値を代入すればいいだけだからです。そして、同様なことが、言語にも見られます。中学校で、主語・動詞・目的語（SVO）の形をとる英語の文をすべて調べてきなさいという宿題はありえません。Mary hit John. Beavers build dams.…とこの宿題は永遠に終わりませんから。そこで、生成

文法などの理論言語学者の多くは文法を数学と同じ記号操作であるとみなします。そうすることで、具体的な表現を覚えることなしに、無限個の文を作り出すことができます。SやVやOに異なる単語を入れればいいだけだからです[2]。

　次に、このマトリョーシカについてです。マトリョーシカとは、人形を開けるとその中から人形が出現し、その人形を開けるとさらに小さな人形が出てくるという繰り返しの構造になっているロシアの民芸品です。そして、このような繰り返し（recursive）の構造（入れ子構造とも呼ばれる）を言語の中に見ることによって、有限から無限へという問題は簡単に解決できるのです。例えば、センテンス（＝文）は必ず名詞句を含みますが、名詞句を構成する要素の中には関係詞節のようにセンテンスを含むものもあります。（3）はマザーグースと呼ばれている童謡の一節ですが、名詞句の中にセンテンスが出現し、そのセンテンスの中にも名詞句が出現します。そして、その名詞句の中にもまたセンテンスが出現する…という演算の繰り返しで、無限に長い文が作られているのです。

（3）a．This is the house that Jack built.

　　　b．This is the malt that lay in the house that Jack built.

　　　c．This is the rat that ate the malt that lay in the house that Jack built.

　　　d．This is the cat that killed the rat that ate the malt that lay in the house that Jack built.（これは、ジャックが建てた家においてある麦芽を食べたネズミを殺した猫です。）

　もちろん、これは生成文法などの理論言語学の考え方の一部を紹介しただけですので、細かいことを説明しだせば、きりがありません。重要なポイントだけを押さえておきます。まず、第一に、文法を形式的な記号操作と見なし、それぞれの記号に入力する単語を換えることによって、無限の文が生成できるというものです。第二点目は、この記号操作が作り出す構造に「繰り

返し」ないしは回帰性（recursion）を認めるということです。そして、この回帰的な記号操作により、有限から無限を生み出すというプラトンの問題の一つが解決できるわけです。

　一方、認知文法では、そもそも文法を形式的な記号操作とはみなしません。そのため、必然的に回帰的な演算操作も仮定されないことになります。なぜ文法を形式的な記号操作とみなさないかという問題は、込み入った議論が必要ですので、次章で検討することにしますが、以下では、回帰性に議論を絞って検討していくことにします。

6.4 │ 世界は大きなマトリョーシカ

　回帰性に関する認知文法の考え方を紹介する前に、この回帰性に関する言語学界での論争について触れておきます。生成文法では、狭義の言語機能に含まれるのは、言語計算システムのみであり、特にそれが示す回帰性のみであると考えるのが一般的なようです（原口・中村・金子 2016: 580–581）。もちろん、生成文法の中にもいろいろな立場があると思いますが、回帰性が人間言語に備わった普遍的な特徴であるという主張はほぼ共有されていると思います。これに対し、ダニエル・エヴェレット（Daniel Everett）は、ピダハン（アマゾン）という言語にはその回帰性がないことを発見し、回帰性はすべての言語に共通する普遍的な特徴ではないと主張しています。この論争に関しては、回帰性とは何かという定義の問題が絡んでいますので簡単には論じられませんが、回帰性を広く解釈しこれから述べる併合（Merge）と同一視するのであれば、ピダハンにも回帰性はあるということになると思いますし、回帰性を狭く解釈し節の埋め込みであると解釈するのであれば、エヴェレットの主張は正しいかもしれません[3]。

　では、回帰性に関する認知文法の立場はどうでしょうか。実は、私の知る限り、認知文法の提唱者であるラネカーはこれに関しては直接的に言及していないようです。ただし、もし尋ねられたらラネカーは言語に回帰性は存在すると答えると思います。より正確に言うと、言語に限らず人間の認識の構

造の中に回帰性は存在するとラネカーは言うと思います。なぜなら、ラネカーの比較的初期の論文 "Nouns and Verbs" の中で示された認知文法の存在論の全体像の中に回帰的な考え方が既に示されているからです（cf. Langacker 1987）。そこで示されたのは、人間に認識されるすべての実体（entity）は、モノ認識（thing）と関係認識（relation）に二分されるというものでした。そして、この二分法に時間認識の有無や境界認識の有無が加わることにより、ラネカーの品詞論が展開されるわけですが、このモノ認識と関係認識という二分法に回帰性が内在しているのです[4]。ただし、はじめに断っておきますが、この二分法は、あくまでも、人間の外界の捉え方（construal）に基づいたものです。ですので、認識対象である実体をモノとして認識するか、関係として認識するかは、人間側の捉え方次第ということになります。この「捉え方」という概念は、認知文法にとって最も重要な考え方の一つですので、第8章で改めて詳しく説明します。

　それでは、「石」を例にとって考えてみましょう。私たちが一個の石を一つのモノだと認識するのは、内部の物質が相互に強く結びついているからです。つまり、構成要素同士が強い関係で結ばれているのです。一方、石に付着している砂をその石の一部とはみなさないのは、石と砂の間の結びつきが弱い、つまり、関係認識が弱いからです。そして、そのようにモノ認識された「石」でもそれらが関係しあって、さらに大きな「石垣」を形成することもできます。その場合、石垣は一つのモノとして認識されることになります。同様に複数のモノが関係し合ってより大きなモノとして認識されたものとして「堀」や「塀」や「天守閣」などが挙げられますが、それらも集まって一つのモノとして認識されると「城」という集合体としてのモノが認識されることになります。

　モノとモノの間に関係が認識されるためには、空間的な近接性つまり近さや接触しているかどうかなどが深く関わっていますが、もちろん、両者が空間的に離れている場合もあります。例えば、人間同士の関係には、恋愛感情による結びつきや血縁関係などがあります。そのため、実際、個体同士の結びつきが強固に感じられれば、空間的に離れている個々の要素が全体として

一つと認識され、「カップル」や「家族」のように一つのモノとして認識されるようになります。「チーム」などはこうして認識されたモノです。そして、複数の「チーム」間の結びつきが強く感じられれば、さらに大きな「リーグ」などとして認識されるわけです。

　もちろん、ここで述べているモノとは、必ずしも、物体を指すわけではありません。モノとは、要素間の強い結びつきによってモノ的に認識されている存在（entity）ということになります。したがって、「愛」や「友情」のような実体のない存在もモノということになります。このように、モノ認識と関係認識（モノとモノとの結びつき）は、マトリョーシカのように回帰的（recursive）に登場することになります。そして、このような認識が繰り返されるごとに重層的な階層構造が生まれてくるわけです。

　次に、このような回帰的なモノ認識と関係認識の出現を図を用いて具体的に説明することにします。図1を見てください。図1（a）は、二つの要素（XとY）が認識された状況を表しています（ここではLangacker（2017）にならって要素（element）としてあります）。このように二つの要素が認識されると、その間に何らかの関係が認められるようになります。それが図1（b）です。XとYを結ぶ実線は、両者の関係認識を表しています。重要なのは、このように複数の要素の間に関係が認められると、全体として一つの要素としてみなされる潜在性が生じるということです[5]。図1（b）の破線の楕円はこの潜在性を表しています。そして、図1（c）が表しているのは、連結（connect）したXとYがより大きな要素とみなされ、それがさらに他のZと連結したケースです。もちろん、この連結によって、さらに大きな要素が認識される潜在性が生じるため、図1（c）でも全体が破線の楕円で囲まれています。そして、これが生成文法が用いる二枝分かれ（binary branching）の樹形図（階層構造）で明らかにされてきた統語構造を認知文法の存在論の立場から解釈したものです[6]。

図 1　Langacker（2017: 208）

　このように要素と要素が連結し、その連結が新たに上位の要素を生み出すという存在論は、まさに二つの要素を併合してより上位の要素を生み出すという生成文法の併合（Merge）という概念と軌を一にする考え方ですが、まったく同じというわけではありません。生成文法ではこの併合を言語機能の特徴としてとらえていますが、認知文法では人間の認識のあり方の特徴としてとらえているのです。言い換えると、生成文法では併合という言語特有の記号操作にマトリョーシカを見ているのですが、認知文法では、人間の存在物の認識の仕方の中にマトリョーシカを見ているのです[7]。

　ちなみに、用法基盤主義でよく誤解されることに、用法基盤主義では言語の構造依存性（structural dependency）を捉えられないというものがあります。聞き手が実際に耳にする言語音は時間軸に沿って線形順序（liner order）に並んで話し手から発せられるため、そこに立体的な構造があることに聞き手は気づけないはずだという考え方です[8]。もちろん、上記のように認識のレベルで人間は概念の構造化を行っているはずですので、このような批判は当てはまりません。第 8 章で詳しく述べるように、ことばの形式と意味との間には対応関係がありますので、意味に構造があれば形式も構造化されることになります。また、意味の学習が成立しているかどうかは疑わしいディープラーニングでも、データの中から大小様々なパターンを抽出するわけですから、それらのパターンが幾重にも重なって構造になっている可能性は否定できません。少なくともかなり自然な言語表現の生成に成功しているところを見ると、AI も何らかの階層構造を学習していると考えてよいのだと思います[9]。

6.5 | 認識の柔軟性

　数学的な記号操作には柔軟性は期待できませんが、人間の認識は実に柔軟です。例えば、図 2（a）の認識は図 2（b）のように展開するかもしれません。Z が Y のみと連結されるのです。そして、これは、図 1（c）のような階層構造を生み出す認識ではなく、連続性（seriality）をもたらすものです。実際、言語においては、（4）に示すように、連続性によってとらえられるものもあります[10]。

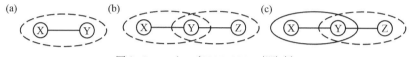

図 2　Langacker（2017: 208 一部改変）

　（4）a.　It kept on raining day after day after day...
　　　b.　A lie is a lie is a lie.

　また、図 2（c）のように、連結された X と Y で構成された要素全体と Z が結び付けられるのではなく、その一部としての Y と Z が連結することもあります。通常の関係詞節の構造は、図 1（c）のような階層構造を生み出す認識を反映していると考えられていますが、（2）の『これはのみのぴこ』や（3）のマザーグースなどは、むしろ、図 2 のような連続性の認識によって動機づけられていると考えることもできると思います。重要なのは、ここでも排除の誤謬に陥らないことです。認識の在り方が複数存在してはいけない理由はないからです[11]。

　これ以外にも、言語には、（5）のようなマトリョーシカ構造（入れ子構造）があります。このような例は、おそらく、人間がミラーニューロン（mirror neuron）などの働きによって他者の認識状態をシミュレーションすることによって生じるマトリョーシカだと考えられます[12]。

(5) You may think that I know that Everett believes that Chomsky made mistakes.（チョムスキーが間違いを犯したとエヴェレットが信じていることを私が知っているとあなたは思うかもしれない。）

　私たちは他者の心の中身を想像することができますが、そのことは、他者も私たちと同様に別の他者の心の中身を想像できることを意味しています。その別の他者もそのまた別の他者の心の中身を想像できるはずですから、これが無限に続くことになります。この認識を図示したのが図3です。左から二番目の図は、図1（c）のZがC^{1}になっているだけで基本的に同じです。この図におけるCは概念化を行う概念化者（conceptualizer）を表しています。したがって、図3は左から順にそれぞれ、チョムスキー（X）が誤り（Y）を犯したこと、チョムスキーが誤りを犯したとエヴェレット（C^1）が信じていること、チョムスキーが誤りを犯したとエヴェレットが信じていることを私（C^2）が知っていること、チョムスキーが誤りを犯したとエヴェレットが信じていることを私が知っているとあなた（C^3）が思うかもしれないことを表しています。

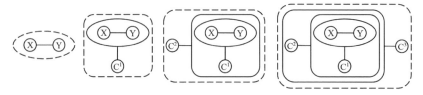

図3　Langacker（2017: 209 一部改変）

　以上の議論で重要なのは、有限から無限を生み出すメカニズムは人間の認識の在り方や認識のメカニズムにあるということです。

　最後に少し脱線しますが、もう一つ、近年導入された認知文法のマトリョーシカを紹介します。それは、言語処理の観点から上記のモノ認識と関係認識の入れ子構造を捉え直した注意の窓（windows of attention）を用いた分析です（cf. Langacker 2016）。言語情報処理は異なった時間尺度（time scale）で並行して行われると考えられるため、注意の窓の中に窓が現れ、

その窓の中にまた窓が現れるという注意の窓の入れ子構造が出現するのです。つまり、従来、統語論で研究されていた構造依存性の問題が、人間が注意を向ける範囲、または、状況を処理する認識の枠の入れ子構造の問題として時間軸を組み入れた形で捉え直されるわけです[13]。しかも、現在注目を集めている大規模言語モデルを支えている自然言語処理モデルであるTransformer がアテンション（attention）という仕組みを組み込んでいることも偶然ではないと思われます（cf. Vaswani et al. 2017）。どの単語に注目したらよいかを示す Transformer におけるアテンション機構とラネカーの注意の窓は全く異なるものですが、限られた注意のリソースの推移に着目している点で両者は共通の何かを捉えている可能性があります。

6.6 | 理論言語学の課題

　本章では、「ことばを習得する過程で一人の人間が耳にする表現の数は有限個であるにもかかわらず、人間が作り出したり、理解できる表現の数は原理上無限個であるのはなぜか」という問いについて考えてみました。この問題に対し、生成文法は言語が持つ記号演算である併合の回帰性という特性から解決策を探っているわけですが、認知文法では、人間の認識のあり方の中にその答えを求めています。どちらがより真実に迫っているかという判断は読者に委ねるしかありませんが、言語と認識にそれぞれ別々の仕組みを想定するよりも、両者をリンクさせる理論の方が私には魅力的に映ってしまいます。言語だけを特別視しない認知言語学の考え方は、言語処理に対しても画像認識と同じ設計思想で挑んでいるディープラーニングの挑戦とも根底で共鳴しています。要は、言語だけにしか通用しない説明をできるだけ避け、より大きな認知メカニズムからの説明を試みるということです。もちろん、言語処理にチャレンジしているディープラーニングの研究においても、技術上の様々な問題をクリアするため言語処理特有の仕組みを組み入れてはいますが、根本となる設計思想は言語であろうが画像認識であろうが基本的には変わらないのです。

以上、第3章からここまで、「プラトンの問題」について、認知文法の考え方を述べてきました。一言で言えば、言語には習得できないような特徴があることがこれまでの生成文法では前提とされてきましたが、その前提自体を疑う必要があるということです。ただ、このように主張すると、もっと大きくて厄介な問題に突き当たることになります。もし仮に人間言語に特有の"何か"を一切仮定しなくても済むのなら、なぜヒト（人間）だけがしゃべれるのか。

　仮に、たくさん聞いてたくさん覚えたらしゃべれるようになるのだとしたら、チンパンジーのようなヒトに近い霊長類に大量にことばを聞かせればしゃべれるようになるはずです。でも、どんなにチンパンジーに言語を教えても、残念ながら、彼らは人間が話すようには話せるようになりません。もちろん、発声器官の差異は決定的な要因ではありません。手話を学べばよいわけですから。逆に、九官鳥やオウムは、人間のような声を出すことはできますが、それをもって彼らもしゃべれると考える理論言語学者はいないでしょう。

　実は、認知言語学の一般的な研究スタイルは、言語能力と一般的な認知能力の関係性を探していくことにあります。そのため、研究が進めば進むほど、どうしても、ヒトと他の動物たちとの差が縮まっていくことになります。ヒトと他の動物たちとを連続的にとらえると言ってもいいでしょう。しかしながら、ヒトだけが言語を持っているというのは歴然とした事実ですから、両者に明確な境界線を引くことはどうしても必要なのです[14]。両者の違いを明確に説明しないことには、理論言語学者としての重要な仕事を放棄したことになってしまいます。なぜヒトだけがしゃべれるのかという問題は、理論言語学における共通の課題なのです。

　しかも、この問題はディープラーニングを用いた言語処理研究に対しても、根本的な課題を突きつけることになります。第2章でも説明したように、ディープラーニングは脳神経回路を模したモデルを用いています。ということは、ディープラーニングは、原理的には、ヒトと同様の脳神経回路網を持つすべての動物の認識をもシミュレーションしていることになります。

そのため、ヒトだけが持つ"何か"を組み入れない限り、ディープラーニングによる言語処理研究は決して成功しないということを予測することになります。逆に、ディープラーニングだけで言語処理がうまくいった場合は、程度の差こそあれ、他の霊長類たちも言語を持つことを予測することになるのです。

　2.5 節で、これからの理論言語学者は、AI 研究に対して積極的に提言を行っていくことが必要だと述べましたが、実は、この「ヒトだけが持つ"何か"」を明らかにし、それを AI 研究に還元していくことが私たち理論言語学者の使命とも言えるかもしれません。そして、その"何か"こそが、まさに生成文法の主張している普遍文法（UG）かもしれませんし、そうでないかもしれません。次章以降、その"何か"について考察していきたいと思います。

1　認知科学全般に見られる記号演算主義については、Harnad（1990: 336）を参照。

2　言語に対するこのような見方は、slot-and-filler model などと呼ばれていますが、Sinclair（1991: 109）では open-choice model と呼ばれて、その問題点が指摘されています。認知文法では、そもそもこのように文法と単語を分けて考えること自体が排除の誤謬（ルールとリストの誤謬（rule/list fallacy））だと考えています（cf. Langacker 1990: 264）。

3　詳しい議論は、Everett（2008: 224–243）および池内（2010: 54–60）を参照。

4　ラネカーの認知文法では、モノ認識が名詞、時間を伴った関係認識が動詞、時間を伴わない関係認識が前置詞、形容詞、副詞にそれぞれ対応すると考えられています。詳しくは Langacker（1987）を参照。

5　これをグループ化（grouping）と呼びます。

6　言語に限らず複雑なシステム（complex system）に頻繁に階層性（hierarchy）が現れる理由については Simon（1991）を参照。

7　併合に関してはチョムスキー（2015: 26–28）を参照。また、チョムスキーをはじめ多くの生成文法家は、併合を言語固有の現象と考えていますが、同じ生成文法の中でも、池内（2010）や藤田（2023）などは、言語固有の併合操作の前駆体として、より一般的な能力としての併合があると主張しています。

8　線形順序しか与えられていないのにもかかわらず、子どもは、言語が線形順序ではなく構造に依存しているということを知っていることも言語習得の不可能性を示すプラトンの問題の一例になります（cf. 3.3 節）。

9　ちなみに、酒井、辻、福井は、ディープラーニングによって何らかの階層構造が習得できる可能性は考えていないようです（cf. 酒井 2022: 100–103）。2.4 節で見たように、ディープラーニングでは出力までの過程で何が起こっているかを可視化することができませんので、AI が本当に階層構造を学習しているかどうかを検証することができないのが残念です。

10　(4a) の day after day after day（来る日も来る日も）や (4b) の a lie is a lie is a lie（うそはうそ）は、従来の階層構造で分析することが難しい表現とされています（cf. Langacker 2010）。

11　排除の誤謬に関しては 3.5 節を参照。

12　ミラーニューロンに関する興味深い事実は、Iacoboni（2009）を参照。

13　そもそも、注意（attention）と言語現象の関係は、認知言語学の初期から研究されてきました（cf. Talmy 1978, 1996, Deane 1991, van Hoek 1997）。実際、ラネカーの認知文法における理論構成物の多くは人間の注意能力によって特徴づけられています。

14　もちろん、これには「言語」とは何かという定義の問題が深く関わっています。「言語」を広くとらえてコミュニケーションの手段と定義するならば、クジラも小鳥も言語を持っていることになります。特に、小鳥の鳴き方に言語の諸特性が認められることからも「言語」か否かは程度問題と考えたほうがよさそうです（cf. 岡ノ谷 2010、Suzuki 2021）。

ニューラルネットと言語獲得装置（LAD）

　人工的に知能を作り出すことはそもそも可能かという問いに対して、松尾（2015: 39）は「できないはずがない」と断言しています。そのように断言できる理由として、人間の脳は電気回路と同じだからだと述べています。要するに、脳内には電圧が閾値を超えたら神経伝達物質を放出するシナプスという部分を含む神経細胞があって、脳はそのような神経細胞が電気信号をやり取りするネットワークであるということです。これは、0か1の信号を送る電気回路と基本的に同じだと言うのです。この発言は、いわゆる心身問題に対する AI 研究者からの回答です。

　実は、このような考え方は、多くの理論言語学者の間でも共有されています。言語学は心理学の一分野であり、心理学は生物学の一分野であり、生物学は物理学の一分野であると言われますが、言語現象は突き詰めると物理現象だということになるのです（cf. 藤田 2023）。実際、福井（2012: 237）も「言語学者の側もモデル構成にあたって脳科学的基盤を常に意識していなければならない」と述べ、言語学が生物物理的な知見を持つことの重要性を強調しています。

　ここで考えたいのは、脳内の回路を模倣したディープラーニングによる言語モデルが言語学に脳科学的基盤を提供するという可能性です。しかも、そのように考えると、ニューラルネットがまさに生成文法の提案している言語獲得装置（LAD）に見えてくるのです。生成文法が仮定しているパラメーターとは随分異なりますが、それでも、入力されるデータに基づいて膨大な数のパラメーターの重みづけを変え、正しい出力をする様は LAD そのものです。しかも、出力が再び入力になるというディープラーニングの設計は、Kajita（1997）が主張し続けてきた動的文法理論にも通じます。もちろん、それだけでは LAD はブラックボックスのままなのですが、まずはディープラーニングの研究成果を真摯に受け止めることが、真の意味での生物言語学、物理言語学のスタートのような気がします。

第7章

経験がことばに命を吹き込む

7.1 | はじめに

　前章では、有限の知識から無限の表現を生み出す最も一般的な方法として言語をある種の記号演算操作と見なせばよいということを紹介しました。そして、この考え方は、長い間、生成文法をはじめとする多くの言語理論に採用されてきた最も有力な考え方でした。しかしながら、前章で簡単に触れましたが、認知文法はそのような考え方をとりません。正確に言うと、言語を記号演算操作と見なすことは認知文法では禁じられているのです。では、なぜ、言語を記号演算操作と見なしてはいけないのか。本章では、この問題について掘り下げてみます。

7.2 | 何でもありは、何にもなし

　よく、認知文法に対して「あー、あの何でもありの理論でしょ」という批判を受けることがあります。たしかに、認知文法は、絵を描いたり、あいまいな説明を許したり、しまいには、話し手の捉え方次第です、なんて言い出したりしますから、傍から見れば、何でもありに映っても仕方ありません。もちろん、認知文法からしてみれば、それぞれ理由あってのことなのですが、とにかく、部外者には認知文法は"何でもあり"の理論に映ってしまうようです。しかも、何でもありの理論は、何にも説明していないのと同じこ

とになりますので、冷ややかな視線を受けることになるわけです。

　もちろん、認知文法は"何でもあり"の理論というわけではありません。それどころか、認知文法は"何でもあり"には程遠い非常に自制的で自己抑制的な理論であると言ってもよいでしょう。なぜそのように言えるのかというと、それは、認知文法では内容要件（content requirement）と呼ばれる厳しい制約が自らの理論に課されているからです。そして、この内容要件があるために、認知文法では、言語を記号演算操作と見なすことができないのです。言語を記号演算操作と見なせないということは、有限の知識から無限の表現を生み出すための便利な道具に自ら封印してしまうことになるわけですから、かなり険しい道のりを自らに強いることになります。それでは、そこまでして守らなければならない内容要件とはいったいどのような制約なのでしょうか。

7.3 ｜ 経験から得られる知識

　内容要件とは、言語学者が言語現象を記述する際に認められるのは、以下の三つの要素だけであるというものです。逆に言うと、この三つの要素以外を用いて言語を記述することは厳しく禁じられているということになります（cf. Langacker 2008: 24–25）。

　（1）内容要件
　　（ⅰ）意味構造と音韻構造、そしてそれらを結び付けた記号構造
　　（ⅱ）（ⅰ）の要素をスキーマ化した構造
　　（ⅲ）（ⅰ）と（ⅱ）の構造間で成立するカテゴリー化の関係

　一見するとちょっと難しそうですが、背後にある考え方を理解すればごく当然のことを言っているだけですので心配はいりません。それでは、一つずつ見ていきます。（ⅰ）は認知文法のもっとも基本となる考え方に従ったものです。まず、言語は音で意味を表す記号であるという基本的な考えについ

て確認しておきましょう。例えば、「いぬ」という音は、私たちが知っているあの動物を意味として表す記号です。このため、「いぬ」はことばだと言えます。一方、「ぬい」という音は何の意味も喚起しません。そのため、「ぬい」は記号とは言えず、ことばとはみなされないことになります。このように、言語は、音で意味を喚起する、または意味で音を喚起する記号であるというわけです。注意しておきたいのは、ここで述べている「記号」とは、記号演算操作における「記号」とは全く異なるということです。記号演算操作における「記号」は意味を伴わない単なる符号（label）のことを指します。例えば、記号演算操作に用いられる N や V や CP などは、意味を伴っておらず、演算操作のために用いられる便宜的な符号にすぎません。それに対して、認知文法が「記号」と呼んでいるものは、音と意味がペアになったもの（form-meaning pairing）だけです。

　そして、日々のことばのやり取りの中で実際に生じているのは、音と意味と記号の三つだけだということを内容要件（1）の（ⅰ）は言っているのです。そのため、人間がことばとして習得するのは、音、意味、そしてそれらを結び付けた記号だけであり、人間がことばとして使うのも、音、意味、記号だけであるということになります。このように考えると、例えば、生成文法で提案されている空範疇のような音を伴わない意味だけの要素や、ある要素を元の場所から別の場所に移すような移動操作などは、言語知識の中には存在しないことになります。なぜなら、これらの要素は、演算操作上の必要性に迫られて便宜上導入されたものにすぎず、言語使用の現場において直接観察されたものではないからです。そのため、直接観察されないこれらの要素は習得されず、結果として、言語知識を構成する要素にはならないと考えます。

　内容要件（1）の（ⅱ）は上記の考え方を補足するものだと考えてよいでしょう。スキーマとは、ある事物の中に内在する抽象的な構造のことですが、このスキーマがはっきり意識されるのは、複数の事物を比較した場合です。例えば、えんぴつとロープがあったとします。私たちは、両者が似ていると直感的に思う部分がありますが、それは、両者の間に「細長い」という

抽象的な構造（＝スキーマ）を見ているからです。よく複数の事物間の共通点がスキーマであるという説明のされ方をしますが、それは厳密ではありません。厳密には、ロープと比較される以前に、えんぴつという物体の中にすでに「細長い」という抽象的な構造（＝スキーマ）は内在しているのです。比較されることによって共通点としてのスキーマがより意識されやすくなるだけです。ですので、先ほど、音と意味、そしてそれらを結び付けた記号は直接観察されると述べたわけですが、スキーマはそれらの要素に付随して、いわば無意識のうちに、間接的に観察されているわけです。そのため、直接観察される事物から引き出されたスキーマも私たちが習得する言語知識の一部であり、私たちはことばを使用する際にこのスキーマも利用すると考えてよいわけです。

　最後に、内容要件（1）のカテゴリー化に関する（ⅲ）についてです。当然のことですが、上記のように直接または間接的に観察された事象がバラバラの知識として脳内に収納されているわけではありません。私たちはそれらをグループ（＝カテゴリー）にまとめながら、つまり、それぞれの知識を関係づけながら知識の構造を作り上げていきます。そして、そのようなことを行うカテゴリー化もことばを習得したり使いこなしたりするためには、なくてはならない認知メカニズムということになります。これを図示すると図1のようになります[1]。

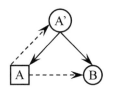

図1　Langacker（1999: 102）

　例えば、あなたの認識の中に（B）という要素が表れたとします（以下、図1のボックスを［　］、円を（　）で表します）。その際、あなたは持っている脳内の知識を検索し、それが［A］という知識と同じだと判断したとします。そのような認識過程では、（B）は［A］というカテゴリーのメンバー

だと認識されたことになります。破線矢印は拡張を表していますが、要するに、［A］と（B）は全く同じではないけれど、共通点もあるため、同じカテゴリーのメンバーだとみなされたことになります[2]。これを別の視点から見ると、［A］と（B）の中から抽象的な共通点であるスキーマ（A'）が抽出されたことになります。実線の矢印はこの関係を表しています。この抽出されたスキーマ（A'）も［A］というカテゴリーの一部ということになりますので、［A］から（A'）に向けて拡張を表す破線矢印が伸びています。そしてこのような三角形型の認識は、日常生活の中で常に生じています。目の前にある花をチューリップだと認識できるのは、私たちの脳内にあるチューリップの知識と目前の花とを照らし合わせ、自分の知識と十分に合致している（共通点がある）と見なした場合には、その花をチューリップだと認識するわけですが、これはカテゴリー化のなせる業なのです。

　要するに、この内容要件は、言語知識は実際の言語使用の現場で直接観察される現象（カテゴリー化も含む）とそこから得られる要素だけからできているはずなので、それらだけを用いて言語知識を記述しなさいということなのです[3]。実際、これら以外の体験を伴わない要素をいくら仮定しても、それらの要素が言語知識として脳内に実在する保証はありません。分析や説明をするうえで便利だからというだけの理由で、意味を伴わない記号（＝符号）や記号操作を仮定することは理論言語学ではよくあることですが、認知文法では、そのような意味を伴わない記号演算操作を禁止することで、実在性の疑わしい要素を多用することに歯止めをかけているのです。

7.4 ｜ 大切なことは、目に見えない

　もちろん、この内容要件に関しては批判もあります。直接観察されるものしか認めないなんて学問的な態度としていかがなものか、というものです。学術の発展は、ある意味、それまで一般の人々には知覚されてこなかった現象や法則を発見してゆく過程であるとも言えます。ブラックホールであれ、ヒッグス粒子であれ、まずは直接観察されないものを思考の目を通して見る

のが学者の仕事であり資質でもあるわけです。その意味では、直接観察されるものしか信じないという態度はあまりにも浅はかすぎるというのです。実際、サン＝テグジュペリが「いちばんたいせつなことは、目に見えない」（『星の王子さま』）と言っているように、どの言語理論でも、ことばの表面だけを見るのではなく、その背後に隠された見えない何かを明らかにすることが求められるわけです[4]。

　しかしながら、実は、このような批判は認知文法には当てはまりません。当然ながら認知文法の研究者も、物事の背後に潜んだ目に見えない何かを明らかにしようとしているからです。そして、その点では、認知文法の学問的態度は他の理論となんら変わりがないのです。ただ、ことばを習得し用いている話者にとっては事情が異なります。直接もしくは間接的に観察されない事物は、話者には体験されず、習得もされないと考えられるからです。少なくとも、ことばは誰にでも習得できるようにできている以上、観察されるものがすべてなのです。学習者フレンドリー、使用者フレンドリーであることが言語のあるべき姿だとすると、観察されない要素が言語知識の中で生き延びる余地はないのです（cf. 第5章）。

　実は、認知文法をやっている人の中にも、なぜ言語を記号演算操作と見なしてはいけないのかを明確に説明できる人はあまりいないかもしれません。お題目のように、「記号演算操作は内容要件に反するから」などと唱えていますが、それでは何も説明したことにはなりません。その意味で、内容要件という概念は、思考停止を誘発する恐ろしさも持ち合わせています。そこで、なぜ内容要件に従う必要があるのかを、ここではもう少し掘り下げて考えてみましょう。

7.5 ｜ 記号接地問題

　実は、言語を記号演算操作と見なしてはならないことは、長年 AI 研究を苦しめてきた記号接地問題もしくはシンボル・グラウンディング問題（symbol grounding problem）と深く関係しています（cf. Harnad 1990）。

記号接地問題とは、簡単に言ってしまえば、コンピュータが行う記号演算操作に用いられる記号（＝符号）は意味と結び付けられないという問題です（cf. 松尾 2015: 105–107）。よく引き合いに出されるシマウマを例に考えてみましょう。例えば、人間の場合、シマウマを見たことがない人でも、「シマウマとは縞模様をした馬です」と説明してあげれば、大概、イメージしてもらえるはずですが、これは、「馬」の意味と「縞模様」の意味がその人に理解されているからこそできることです。ところが、「馬」や「縞模様」の意味を理解していない AI マシーンにシマウマについて上記のように説明したとします。そして、別の機会にその AI マシーンに向かって「シマウマって何ですか？」と聞いたとします。すると、その AI マシーンは、当然「シマウマは縞模様をした馬です」と答えてくれるので、私たちは「ああ、この AI マシーンはシマウマとは何かを知っているんだな」と判断することになります。ところが、実は、この AI マシーンは全くシマウマとは何かを理解していません。ただ無意味な記号（＝符号）を用いてシマウマとは何かを表現しただけなのです。私たちは「馬」や「縞模様」の意味を既に知っているため、無意識のうちに、AI マシーンも私たちと同じようにこの説明が意味するところを理解していると思い込んでしまいます。ところが実際は、意味を学習していない AI マシーンのことばには意味が込められていないのです。そして、このことが意味しているのは、コンピュータ上の記号演算操作によって生成された言語表現は、意味と結び付けられない限り、閉じた記号体系の中をぐるぐると回るだけの空虚な記号列にすぎず、何ら現実世界との関わりを持てないということなのです。

　実は、今（2023 年 3 月現在）、ChatGPT という AI が世界中で大変話題となっています[5]。これを利用すると、かなり自然な会話が AI と楽しめるので、多くの人はとうとうことばを話す AI が誕生したと誤解しているようです。しかしながら、もちろん、これは上記のシマウマの例と同じで錯覚です。残念ながら、この AI は全く言葉の意味を理解していないのです[6]。現在の AI 技術では記号接地問題は全くと言ってよいほど解決されていないからです。そしてこのことは、AI 研究の観点から言うと、究極的には、AI に

身体を持たせ、外的世界と相互作用をさせることにより、記号（＝符号）の意味を習得させなければならないということを示しています。真にことばを理解できる AI を作るためには、AI に実体験を与えて音と意味の対応関係を構築しなければならないということなのです。

　この AI 研究における記号接地問題は、理論言語学においても重要な示唆を与えてくれます。なぜなら、意味の問題を先送りにして、記号演算操作だけを追求していっても、最後には必ず記号接地問題という厄介な問題が待っていることになるからです。そのため、AI 研究ではコンピュータに学習させる一般知識や一般常識に関する研究が盛んに行われてきました（cf. 松尾 2015: 90）。それに対し、このような記号接地問題が早くから指摘されていたのにもかかわらず、多くの理論言語学者たちは、言語知識（linguistic knowledge）とそれ以外の一般的な知識（extralinguistic knowledge）を区別して、言語学者は前者の言語知識だけに専念すればよいと考えることでこの問題を避けてきたのです[7]。もちろん、仮にこのような区別をしたうえで、正しい表現だけを生成できる記号演算操作を発見することができたとしても、その先には必ず、生成された表現と意味を結び付ける記号接地問題という難問が待っていることには変わりありません。

　実は、この AI 研究の記号接地問題は、ディープラーニングの登場により、一気に様変わりしています。様々な種類の事例を学習することにより知識を獲得していくディープラーニングの設計思想は、まさに、AI マシーンに経験を積ませることだったからです。もちろん、身体を持たない現在の AI マシーンに完全な身体経験を積ませることは不可能ですが、それでも、ディープラーニングの登場により、AI マシーンに「意味」を習得させる道筋が見え始めたのは確かです。例えば、音声認識と画像認識という異なった種類の（マルチモーダルな）入力であっても、それを処理する仕組みは共通の機械学習であるため、それらのマルチモーダルな情報を統合することが容易になったのです。つまり、聴覚イメージ、視覚イメージ、（もし身体を持った AI であれば）運動感覚イメージ、触覚イメージなどを統合した AI モデルを作ることが理論上可能になったとも言えます。要するに、ディープラ

ーニングにより最も解決が困難だった記号接地問題に突破口が開かれることになったのです。

7.6 まとめ

　さて、このように考えてくると、なぜ言語学者が内容要件に従わなければならないのかがはっきりとわかるようになります。要するに、私たち人間は地に足の着いた身体経験を通して学んだ知識を用いてことばを操っているということなのです。そしてこれは、経験基盤主義（experientialism）（cf. Lakoff 1987）や本書で何度も言及している用法基盤主義と呼ばれる考え方にも通じています。人間は経験から学ぶのです。ですので、経験を伴わない記号演算操作は、われわれに何の意味ももたらさないということになります。このように、内容要件とは、徹底した経験基盤主義・用法基盤主義を認知文法に課すことを通して、理論を健全な発展に導く仕掛けなのです。

　そして、AI 研究が私たちに示してくれた最も重要なことは、記号接地問題が始めから起こらないように理論を設計しなさいという指針です。そして、このことを念頭に置きながら、次章以降では、音と意味の対応関係に関して深く掘り下げていくことにします。

1　Langacker（1999）では図 1 は言語使用（usage event）におけるカテゴリー化の説明に用いられていますが、ここでは、内容要件の説明に用いています。

2　認知文法では、[　] は知識として定着・慣習化した認識を、（　）は知識としてまだ定着・慣習化していない認識を表す慣わしになっています。図 1 において、[A] がボックスで描かれ、（B）（A'）が円で描かれているのは、（B）と（A'）がまだ知識として定着・慣習化されていないことを表しています。

3　このように言語使用の現場を重視する内容要件は、用法基盤主義からの当然の帰結と言えます。第 4 章では、実際に使用された大量の表現を記憶することに論点が置かれていましたが、用法基盤主義の本来の主張は、言語の諸特性は言語使用の現場に内在している身体的（認知的）・環境的要素によって形成されるということにあります。

4　経験科学では、見えないものを見るための様々な実験装置（顕微鏡など）が開発さ

れていますが、人文系学問にはそのような便利なものは存在しません。この問題について内田は、人文系研究者は「概念装置」を用いて見えないものを見ていることを明快に論じています（cf. 内田 1985: 141–148）。

5　ChatGPT（https://chat.openai.com/auth/login）
6　2011年に国立情報学研究所が東京大学に合格できるAIを作るというプロジェクト（通称、東ロボくんプロジェクト）を立ち上げました。最終的には、AIがことばの意味を理解できないという大きな壁を克服できなかったため東京大学合格は果たせなかったと言われています（cf. 新井 2018）。
7　言語知識と一般知識の区別は、仮にできたとしても恣意的であって人間の脳内でそれらが区別されているという有力な証拠はありません（cf. Haiman 1980, Fillmore 1982）。そのため、認知言語学ではこのような区別をしていません（cf. 第9章）。

第8章

意味は話者の中にある

8.1 はじめに

　前章では、言語研究において記号接地問題が生じないようにすることがいかに重要なことであるかを論じました。その上で、経験基盤主義・用法基盤主義をとっている認知文法においては、記号接地問題は初めから回避されていることも確認しました。これに関しては、ディープラーニングをはじめとする現在の AI 研究においても、多様な種類のデータから機械が自ら概念を学習するという点で記号接地問題に対する突破口が開かれていると言えます。

　これを受けて、AI 研究における第一人者である松尾は次のような見通しを述べています。「先に「概念」が獲得できれば、後から「言葉（記号表記）」結び付けるのは簡単」（松尾 2015：188）。たしかに、松尾が言うように、言語習得を、外界に存在する事物にことばというラベルを貼っていく作業だと考えるならば、外的状況に内在する概念（＝意味）に言語形式（音声）というラベルを貼っていくだけですので、言語習得はそれほど難しくはないでしょう。

　しかしながら、それはことばの「意味」が外界に存在するという前提が正しければの話です。つまり、「いぬ」の概念が外界に存在し、それを脳内に写し取ったものが「いぬ」ということばの意味であるという前提が正しければということです。本当に「いぬ」の概念は外界に存在するのでしょうか？

　本章では、言語は形式と意味の対応関係であると言う場合の「意味」とは

どのようなものなのかについて考察します。もちろん、意味という複雑な現象をここですべて網羅的に詳細に議論することは不可能ですので、ここでは、意味について考える際に必ず考慮しなければならない問題について、その一端を覗いてみます。

8.2 | 形式と意味を対応させる

第7章では、「いぬ」の例を挙げ、言語は音声（形式）で意味を表す記号であるという話しをしました[1]。例えば、「いぬ」という形式は、私たちが知っているあの動物を意味として表す記号です。このため、意味を持たない「ぬい」は完全なことばではありませんが、意味を持つ「いぬ」は自信を持ってことばだということができます。言語は、形式で意味を喚起する、または意味で形式を喚起する記号であるというわけです。これを形式と意味の対応関係と言います。

そして、松尾（2015）が見通しを立てているように、AIが概念（意味）を学習できるならば、あとはそれに形式を結び付けるだけで、少なくとも理論上は、人間と同じようにことばをしゃべることができるはずです[2]。そのため、AIが人間と同じように概念を学習できるかどうかが問題の核心になるわけです。

そして、これに関してはもうすでに答えが出ています。前章までの議論の中で、近年のAIは膨大なデータの中からある種の概念を習得することができるようになってきたと述べてきました（cf. 第2章）。例えば、画像認識においては、大量にネコの画像を入力することにより、AIがその中からネコをネコたらしめている特徴を自律的に学習していきますが、このようにして学習されたネコの特徴は、ある種のネコの概念（の一部）を表していると言えます。もちろん、この概念は画像から得られたネコの情報だけに基づいて作られていますので、厳密には、ネコの概念の視覚的側面もしくは視覚イメージだけを学習したにすぎませんが、それでも、AIが画像の中からネコの概念（の一部）を学習したことになります。第7章で、ディープラーニン

グによって記号接地問題に解決の糸口が見えたと述べたのはこれを踏まえてのことだったわけです。

　もちろん、ネコの完全な概念を得るためには、視覚情報だけでは足りません。人間は、自らが身体的に持っている知覚システムを総動員して情報を集めて概念を構築していますので、AI の学習においてもこれらの情報が不可欠になります。つまり、概念の獲得のためには、視覚以外にも、聴覚、触覚、嗅覚などの情報（経験から得られるデータ）がすべて必要になるわけです。その意味では、現在の AI の概念学習はまだまだ不完全であると言えます。しかしながら、原理的には、これらの情報に関しても画像認識と同じ作業をすればよいので、あとはどのようにそれぞれの知覚に対応するセンサーを作ればよいのかという技術的な問題となります。要するに、AI を搭載した機械にも人間の感覚器官に対応するセンサーさえ装備できれば、あとはそれらから得られた異なった種類の（マルチモーダルな）情報を統合すればより包括的な「ネコ」の概念、つまり、人間が持っているネコの概念に近似するものが得られるはずなのです（cf. 松尾 2015: 181）[3]。

　実際は、この他にも、人間が身体を使ってネコとの相互作用を行った結果として得られた情報（「モフモフしている」、「引っかかれた」）や、「マタタビが好きである」「ネズミを追いかける」「哺乳類である」などの主に言語を通して獲得したネコに関する情報も利用しなければ本当の意味でのネコの概念を習得したことにはなりませんが[4]、いずれにせよ、基本となるのは、何らかの感覚器官を通して入力されたネコの情報が統合されてネコの概念を構築すると考えてよいでしょう。

　このように考えると、AI はもうすでに人間と同じようにネコの概念を習得することが（少なくとも設計思想上は）できるようになったと考えられるわけです[5]。残された課題は、どのようにして AI に知覚・運動器官を実装した身体を持たせて他者を含む外界とインタラクションさせるかという技術的な問題だけになります。それさえクリアできれば、あとは AI によって膨大なデータから学習された概念にそれぞれ「いぬ」「車」「走る」「きれい」などの言語形式（音声）を後から結び付ければよいわけです。実際は、その

ような身体性（embodiment）の問題をクリアすること自体もそう容易ではありませんが、少なくとも、これまで AI 研究者たちを悩ませてきた記号接地問題のような深刻な理論的障壁はないことになります。

8.3 ｜ 概念はどこにあるのか

　実は、上のような議論はネコの概念はネコが本来持っていて、それを人間および人間を模した AI が知覚（センサー）を用いて抽出するという本章の冒頭で挙げた発想に基づいています。そして、そうやって学習された概念（意味）に「ネコ」という形式（ラベル）を貼ったものが言語表現ということになります。そして、このような考え方は、言語学においては、外界世界の事象と言語との対応関係を考えるという客観主義的意味論（objectivist semantics）に近い立場だと言えます。もっと正確に言うと、外界世界に存在するネコの概念を脳内に写し取ったものと「ネコ」という言語形式（音声）が対応関係を持っているという考え方です。

　ちなみに、チョムスキーは「自然がわれわれに概念の生得的なストックを与えてくれており、子どもの仕事はそれらのラベルを発見することであるという結論がいかに驚くべきことであっても、経験的な事実は他の可能性の余地をほとんど残していない」（チョムスキー 2003: 52）と述べていることからもわかるように、そのような概念自体、学習によって得られるものではなく、生まれた時点ですでに人間に備わっていると考えているようです。要するに、概念に言語というラベルを貼るという点ではチョムスキーと松尾の意見は一致していますが、概念は学習可能かどうかという点では意見は対立しているようです。

　これに対して、認知言語学では、上記の考え方とは全く異なる主張をしています。上記のような考え方ではうまくいかないことがあるからです。たしかに、大量のネコの画像からネコの概念（の一部）を抽出するという課題においてはうまくいくかもしれません。ところが、現実はもっと複雑なのです。仮に、概念は外界に存在し、それにことばのラベルを貼るだけでした

ら、同じ概念に日本語で「ネコ」というラベルを貼るか英語で cat というラベルを貼るかは、単に言語ラベルの違いにすぎないはずです。そして、その場合は、必然的に日本語の「ネコ」と英語の cat は全く同じ概念を表していることになります。ところが、よく知られているように、異なる言語間においては語彙体系が完全に一致することはまずありません。

　「ネコ」と cat の違いは微妙すぎますので、以下では、もう少しわかりやすい例を取り上げて考えてみることにします。日本語の「着る」という動詞の意味（概念）と英語の wear という動詞の意味（概念）は完全に同じであると言えるでしょうか。もちろん、完全に両者が一致しているとは考えられません。なぜなら、一つには、日本語では、衣服などを身にまとうという一連の行為を一つの動作カテゴリーとしてみなしていますが、英語では、二つの全く異なる動作カテゴリーとしてみなしており、それぞれ、put on（着る）と wear（着ている）という異なった言語形式を振り当てているからです。もちろん、日本語でも、(1) に示すように、一つの行為内の異なった側面として「着る」動作と「着ている」状態を「ている」という補助動詞を用いて区別することはできますが、それでもやはり、別の単語を用いて両者を区別している（＝別のカテゴリーとみなしている）英語のほうが、日本語よりも細かく行為を分類しているように見えます。

(1) a.　John put on the shirt.（ジョンはそのシャツを着た。）
　　 b.　John wears the shirt every day.（ジョンは毎日そのシャツを着ている。）

ところが、その一方で、英語の wear には、(2) に示すように、「（スニーカーを）履く」「（帽子を）被る」「（メガネを）かける」「（香水を）つける」「（髪を）伸ばしている」などの複数の日本語の動詞が対応しています。その意味では、wear が表している動作カテゴリーは、日本語の「着ている」が表している動作カテゴリーよりもずっと守備範囲が広く、かなり大雑把であるということになります[6]。

(2) a. Mary wears sneakers. （メアリはスニーカーを履く。）

  b. Mary wears a hat. （メアリは帽子を被る。）

  c. Mary wears glasses. （メアリはメガネをかける。）

  d. Mary wears perfume. （メアリは香水をつける。）

  e. Mary wears her hair long. （メアリは髪を伸ばしている。）

もし仮に、言語習得が外界から抽出された概念にことばのラベルを貼るだけでよいのでしたら、言語間におけるこのような不一致は起こらないはずです。ところが実際は、このように、言語によってカテゴリーの守備範囲が異なっているのです。そして、このようにカテゴリーの守備範囲が言語ごとに異なるという事実が示唆していることは、概念の習得には言語を通して行われる側面があるということです。そのため、AI に概念を学習させる際には、動作に関する情報を入力するのと同時に、「着る」「履く」「被る」「かける」「つける」「伸ばす」といった、その動作に対応する言語情報も一緒に学習させる必要があることになります。後からラベルを貼るのでは遅すぎるのです。そしてこのような言語情報が始めから加わっていることによって、AI は英語による概念体系や日本語による概念体系を学習することになります。このように、人間が言語情報に基づいて概念体系を習得するという事実は、ことばは単なるラベルではないことを如実に表しています。

　そして最も重要なことは、私たち人間が学習する概念は人間とは独立に外界に存在するものではなく、言語という網の目を通してすくい取られるという側面があるということです。この問題は現実世界をどのように分けるか（分節するか）という、カテゴリー化（categorization）の問題と言われていますが、これは、人間は受身的に外界の情報を受け取っているのではなく、積極的に外界に対して意味づけを行っているということを示しています。

8.4 ｜ 捉え方がもたらす大問題

　もちろん、言語によって物事の分類法が異なる（カテゴリー化が異な

る）、または、言語によって概念体系が異なるという上記の観察は、ラベル貼り説に対する決定打とはなりません。AI が学習する概念は、その概念を構成する下位概念の集合であり、さらにその下にある下位概念も、そのさらに下の下位概念によって構成されていると考えられるからです。例えば、ネコの概念は、耳、目、口、ひげなどの下位の概念の集合であり、口の概念の下にはさらに下位の概念、例えば、色や形などのネコの口に特有な特徴などがあり、さらにそのような口の概念も線や色などの単純な特徴からできています。AI が学習しているのは、それらの下位の概念すべてだと考えられます。そしてそのように概念の習得を考えるならば、言語間の差異はこのような下位概念の組み合わせ方の違いにすぎないと考えられるのです。そして、言語によるラベル貼りは予め習得された下位概念の集合に対して行われると考えれば、既習の概念に言語ラベルを貼るという松尾（2015）の考え方でも何ら問題は起こりません。要するに、言語を習得する以前に A, B, C, D, E という下位の構成概念がディープラーニングによって習得されれば、ある言語では［A, B, C, D］という構成概念の組み合わせに一つの語を当て、別の言語では［B, C, D, E］という構成概念の組み合わせに一つの語を当てているといったように考えればよいわけです。

　もちろん、異なった種類の（マルチモーダルな）情報を統一的に扱うことが原理上可能なディープラーニングの強みを生かせば、前節で述べたように、概念を学習する際のデータの中に言語的な情報を入れておくこともできます。このようにすれば、言語ラベル貼りを別作業として行うことなしに、言語ごとに異なった上位の合成概念（下位概念の集合）が AI によって学習されるはずです。

　本当に問題なのは、実は、カテゴリー化ではなく、むしろ、人間が外界に対して積極的に意味づけを行っているという事実の方です。例えば、図1のような画像を AI に大量に入力した場合、ネコの場合と同じく、ある種の抽象的な概念（例えば、「グラスの半分の位置まで液体が入っている状況」）は学習できるかもしれません。

　しかしながら、そのように抽出された概念は、いわば、前言語的な概念で

図1　グラスと液体

あって、ことばの意味ではありません。なぜ前言語的な概念であるかというと、それに言語形式（ラベル）を貼ると、もはや異なる概念になってしまうからです。例えば、そのように抽出された前言語的な概念に The glass is half full. という表現を貼った場合と、The glass is half empty. という表現を貼った場合では意味が異なります。つまり、どのような言語形式を貼るか（どのように表現するか）によって前言語的概念は同じであっても意味が異なってくるということです。このように考えると、ことばの意味とは、前言語的な概念に何かを加えたものということになりそうです。もう少し卑近な例を出してみましょう。よく子どもたちが（3）のようなやり取りをしながらケンカをしていることがあります。「つついたな」と言われたことに対して「ちょっと触っただけじゃないか」と応戦しているような状況です。ここで何が起こっているかというと、同じ客観的な事実（この場合は、何らかの身体接触）に対して、二者間で異なった意味づけを行っているということです。当然のことですが、同じ客観的事実を指しているということを根拠として、poke と touch の意味は同じだとは言えないわけです。

（3）John : You poked me.
　　　Paul : No, I just touched you.

一つの場面を描写する際に複数の言い方ができるという事実、しかも、言い方によって意味が異なっているという事実は、ことばの意味は外界に存在する概念ではないということを示唆しています。もし仮に、人間が外界に存在する意味の抽出作業だけを行っているのであれば、それがことばの網を通したものであったとしても、このようなことは起こらないはずです。なぜなら、同じ状況から抽出される意味は常に同じであるはずだからです。では、人間はいったい何を行っているのでしょうか。

　一般に認知言語学では、人間は外界に対して意味づけ作業を行っていると考えます。外界の情報を一方的に受け取るのではなく、能動的に外界の情報を解釈しているというのです。つまり、認知言語学では、外的な状況に対し、話者がどのように意味づけを行っているのかまでも含めて、ことばの意味と考えるのです。ですので、同じ外的な状況を見ても、それを「半分ある」と捉えるのか「半分ない」と捉えるのかは、話し手の捉え方次第ということになります。そして、この捉え方をも含めたものが言語表現の意味ということになるのです。

　このことを踏まえて、ラネカーはことばの意味は概念（concept）または概念内容（conceptual content）であるとは決して言いません。認知文法では、ことばの意味は、概念内容に話者の捉え方（construal）を加えたものだと考えられているのです。そして、ことばの意味＝概念であるという一般的な規定と明確に区別するために、認知文法では、ことばの意味＝概念化（conceptualization）であると規定しています（cf. Langacker 2008: 43）。つまり、概念内容に話者の捉え方を加えたものが概念化であり、この概念化がことばの意味ということになります。

ことばの意味＝概念化（＝概念内容＋捉え方）

　もちろん、概念内容と捉え方を明確に分けることは原理上できません。どのような概念内容として捉えるかという時点ですでに概念内容に捉え方が内包されることがあるからです。この点に関して議論をすると話が複雑になる

のですが、ここでは、ことばの意味には必ず話者の捉え方が含まれるということだけ理解しておいてください。認知文法では、ことばの意味＝外界に存在する概念を脳内に写し取った心的表象だとは考えないのです。仮に、外界に存在する概念を客観的意味と呼ぶとするならば、これに話者の捉え方を足したものがことばの意味ということになります。その意味では、ことばの意味は極めて主観的なものなのです。

　このような立場に立つと、言語習得は、まずことばとは無関係に概念を抽出して、その後、ことばというラベルを貼るという一方向的なプロセスではないということになります。ことばの意味は、話し手がことばを用いたその瞬間に生じるからです。つまり、ことばを用いずに意味だけを習得することはできないのです。例えば、ある状況を見て話し手が The glass is half empty. と言った場合、聞き手はそれが表す概念内容に加えて、話し手がその概念内容をどのように捉えているのかという情報も受け取ることになります。そして、これが聞き手が受け取ったことばの意味ということになるわけです。もちろん、厳密には、half empty と表現することを通して話し手が聞き手に「もっと欲しい」のような意図を伝えることになりますので、ことばの意味を考える際には、もっとダイナミックな心の動きをとらえる必要がありますが、少なくとも、このように、人間は言語表現を用いたインタラクションを通じて、概念内容だけでなく話し手の捉え方までも含めた意味を聞き手とやり取りしているということになります。

　このため、AI に概念を習得させたのちに言語のラベルを貼るという研究上のストラテジーは原理的にうまくいかないことがわかります。AI がことばを習得するためには、ことばのインタラクションを通じて概念内容だけでなく話し手の捉え方も習得しなければ、ことばの意味を習得したことにはならないからです。そしてこのような見方は、客観主義的意味論に対して主観主義的意味論（subjectivist semantics）とも呼べるようなものです。ことばの意味とは外的世界に存在する概念を心内に写し取っただけのものではなく、そのような概念内容に対して話し手が自分なりの捉え方を与えたものだからです。ことばの意味には話者の捉え方が不可分に入り込んでいるのです。

8.5 まとめ

　本章では、現在の AI が習得可能な概念は、厳密な意味でのことばの意味ではないということを見てきました。ことばの意味には、必ず、話者の捉え方が含まれているからです。そして、本書 2.5 節で「これからは、AI 研究から得られる知見と矛盾しない言語観を持ちつつ、AI 研究に対して積極的に提言を行っていくこと」を提案しましたが、まさに、本章で述べたことから言語学者が提案しなければならないことがあります。それは、機械学習においても、①概念は言語表現を通して学習されなければならない。もちろん、言語以前に習得される概念の存在は否定できませんが、それでも、人間のカテゴリー体系は言語習得を通して形成されるという側面を無視することはできません。その上で、②外的世界には存在しない、つまり、どのようなセンサーを用いても AI には感知できない、概念内容に対する話し手の捉え方を AI は学習する必要があるということです。

　おそらく、①の提案は AI 学習にとって全く問題にならないでしょう。入力データの中に言語情報を付け加えればよいだけですから。問題なのは②のほうです。ことばの意味には、話し手がある表現を用いたというその事実を介して話し手が聞き手に伝える話し手の捉え方が含まれています。外界に存在する差異をとらえて、話し手が異なった二つの表現を用いているのであれば、外界の差異を情報源として AI も二つの表現の意味の違いを学習することができるでしょう。ところが、全く同じ状況に対して異なった二つの表現を用いる場合（例えば、「半分ある」「半分ない」のような場合）は、AI はその二つの表現の意味の差異を外界の情報から学習することができません。二つの表現の差異は、外界にではなく話し手の心の中にあるからです。例えば、The glass is half full. と The glass is half empty. の二つの言語表現とともにグラスの半分の位置まで液体が入っている画像データを学習させたとしても、AI は混乱するか、どちらでも構わないと判断するだけで、両者の意味の違いを学習することはないでしょう。もちろん、full と empty の概念をあらかじめ学習しておけば、意味の違いを理解することはできますが、話し

手がなぜ full ではなく empty を選んだのかという話し手の意図理解はできないわけです。つまり、捉え方の違いを学習するためには、話し手の心の中を覗くセンサーが必要というわけです（cf. コラム（4））。

　いずれにしても、ことばの意味には話し手の捉え方が不可欠に関わってきます。しかも捉え方は、概念内容とは異なり、外界からは抽出できない話し手の内面に属する要素です。つまり、捉え方は外界には存在しないのです。そのため、AI がことばを学習するためには、他者の捉え方を理解するという難題がのしかかってくるはずなのです。

1　現実には手話などの音声を用いない言語もありますので、正確さを期すために、言語学では、一般に、「音声」（sound）ではなく「形式」（form）という用語を用います。

2　松尾（2015: 188）の記述の中には文法に関する議論が含まれていませんので、仮に松尾氏の主張が正しいとしても、文法については別途検討しなければならないことになります。

3　従来の AI では単一の感覚でしかデータを理解できませんでしたが、Google 社のチームが開発している Pathways は与えられた学習データに対して複数の感覚で理解し概念を認識することができます。つまり、人間が複数の感覚（五感）を使って世界を認識するのと同じように世界を認識する AI です（cf. Chowdhery et al. 2022）。2023 年 3 月に公開された OpenAI の GPT-4 というディープラーニングのプログラムでは、言語情報と画像情報の統合が実現されています。

4　現在の身体運動システムを持たないほとんどの AI では身体行動から得られる情報を使うことは不可能ですが、言語から得られる情報に関して言えば、AI は大きな成果を収めています。2022 年 11 月に公開された OpenAI の ChatGPT では、インターネットから集めた膨大な言語情報を用いた"疑似的な"会話が可能となっています。

5　ただし、ネコに対して持つ「かわいい」や「怖い」のような情動は、データをもとに学習されるような性質の情報ではないため、ディープラーニングでどこまで対応できるかは未知数です。

6　ちなみに、（2）の文はすべて Mary の習慣や性質を表しています。

シミュレーション意味論

　ことばの意味とは何かという問題に対し、それは脳内のシミュレーションであるという考え方があります（cf. Gallese and Lakoff 2005）。例えば、「いぬ」という音声を聞いたとき、日本人の脳内では、現実世界における五感を用いた犬との経験に関する部位が活性化します。これは、脳内で犬の体験をシミュレーションすることを意味しますが、これが「いぬ」という音声に対応する意味ということになります。もちろん、実際はこんなに単純ではありませんが、概して、ことばの意味とは脳内のシミュレーションであると言えそうです。だから、食事中に汚い物に言及すると嫌われるのです。

　このことから言えることは、AI がことばの意味を理解するためには、複数の感覚を伴ったマルチモーダルな身体的経験が必要だということです。ディープラーニングは、自ら対象の特徴を抽出して学習するという革命的技術の他に、このようなマルチモーダルな情報を統合して統一的に扱うことができるようになった点でも革命的だと言えます。今のところ、十分にこの特性を生かせていませんので、AI は意味の獲得には至っていませんが、ChatGPT はもうすでに「太郎がりんごを 3 個買ってきました。次郎がりんごを 1 個食べました。残っている果物は何個？」という質問に答えられます。2 個と答えるためには、少なくとも、りんごが果物であることと食べるとなくなってしまうということを理解している必要があります。このレベルの意味理解ならできるということです。

　ただ、第 8 章で検討したように意味には話し手の捉え方が含まれていますので、AI の最終的な課題は、他者の意図をどこまで理解できるかにかかってくると思います。人間が他者の意図を理解できるのは、脳内で他者の行為をシミュレーションするミラーニューロンが深く関わっていることがわかっていますが（cf. Iacoboni 2009, Gallese and Lakoff 2005）、そのような仕組みを AI に組み込むことが仮にできるとしても、感情や生存本能を持たない AI には、他者の意図理解は難しいように思います。

第9章

意味を育む豊かな土壌

9.1 はじめに

　前章では、AI 研究における第一人者である松尾氏の「先に「概念」が獲得できれば、後から「言葉（記号表記）」を結び付けるのは簡単」（松尾2015: 188）という記述を受けて、言語習得はそれほど単純なものではないと述べました。言語習得は外的状況に内在する概念（＝意味）に言語形式（音声）というラベルを貼っていくだけの作業ではないと考えられるからです。

　実際、認知文法では、ことばの意味とは、概念化（conceptualization）であり、概念化とは概念内容（conceptual content）に話者の捉え方（construal）を加えたものであると考えられています（cf. Langacker 2008: 43）。重要なのは、この話者の「捉え方」はことばの意味に不可分に組み込まれているため、外界にある概念だけを先に習得し、そこに言語形式を貼っていくということが原理的にできないということです。

　本章では、この概念化に焦点を当て、人々が伝えあっていることばの意味は、豊かな概念化の土壌の上に育まれるということについて考えていきたいと思います。

9.2 │「着こなしチェック」って？

　前章で紹介した概念内容とは、いわば、ことばに表される前の前言語的概念のようなものですが、正確に言えば、仮に話者の捉え方を一切含まない純粋な概念のようなものがあるとしたら（現実にはほとんどないと思いますが）、それを概念内容と呼ぶことにするということです。

　しかしながら、もちろん、実際の会話では、必ずしも概念内容と話者の捉え方を分離することができるとはかぎりません。なぜなら、概念内容と捉え方は厳密には区別しがたい存在だからです。例えば、（1）のようにまったく同じ状況を描く二つの表現があったとします。

（1）a.　先生は太郎をほめた。
　　　b.　太郎は先生にほめられた。

これらは同じ概念内容に対する異なった捉え方を表したものであると言っても差し支えないでしょう。実際、認知文法では、能動文と受動文の間に見られる態の交替現象は話者の「捉え方」の差異を反映したものであり、両者の違いは同じ概念内容の中のどの部分に焦点が当てられているかという捉え方の違いだけであると考えられています。

　ところが、次のような場合はどうでしょう。（2）は小学生の娘が実際に言ったセリフです。これを聞いて、私は最初友だち同士でファッションを見せ合っている状況をイメージしました。

（2）今日、学校で着こなしチェックがあった。

しかしながら、よく考えてみますと、私の解釈は明らかに間違っていました。なぜなら、うちの娘の小学校には指定の制服があるため、お互いのファッションを見せ合う機会はないからです。しかも、この着こなしチェックは先生がやるというのです。先生が行う着こなしチェックとはいったいどんな

ものなのでしょうか。

　もうおわかりでしょうか。実は、この「着こなしチェック」とは、いわゆる「服装検査」のことだったのです。学校での服装検査に関する賛否はさておき、この「着こなしチェック」と「服装検査」は同じ状況を指していることになります。ということは、（1）と同様に考えるならば、同じ概念内容に対する異なった捉え方だということになります。

　　　（3）今日、学校で服装検査があった。

　問題なのは、（2）と（3）は同一の概念内容を表していると言えるかということです。私には、むしろ、同じ状況が異なる概念内容として捉えられていると思えるのです。実際、聞き手の側からしてみれば、（2）と（3）では、イメージする状況が全く異なっているわけですから、（2）と（3）は異なった概念内容を聞き手に喚起していると言っても問題ないように思います。もちろん、この場合、「服装検査」が持つ硬いイメージを回避するために学校側があえてある種のことば遊びをしていると考えられるわけですが、ある状況をどのような概念内容として捉えるかという段階ですでに発信側の捉え方が深く関わっているわけです。

　もちろん、ここで議論したかったのは、（2）と（3）の差異は同じ概念内容に対する異なった捉え方を表しているのか、それとも、そもそも異なった概念内容として話し手が捉えているのかという問題ではありません。文法的な要素、語彙的な要素にかかわらず、ことばの意味（＝概念化）には不可分に話し手の捉え方が含まれており、概念内容と捉え方はきれいには分離できないという事実です。

9.3 ｜ 意味を育む土壌

　それから、もちろん、ことばの意味（＝概念化）はそれ自体、独立して存在するものではありません。ラネカーに従えば、ことばの意味は、概念基層

（conceptual substrate）と呼ばれるある種の意味の土壌の上に育まれた概念化であるということです（cf. Langacker 2008: 463）。要するに、ことばの意味は、それだけで独立して存在するものではなく、フレーム（frame）と呼ばれる関連する広範な背景知識やメタファーなどの心的な構築物、話し手と聞き手の間でのことばのやり取り、文脈などに支えられて成立しているということです[1]。

　例えば、「国債」という語の意味について考えてみましょう。ためしに、国家の財政に関する知識を一切持たない人に「国債」について説明してみてください。かなり難しいとわかるでしょう。それと同時に、「国債」の意味に関して、国家の財政に関する知識がいかに必要不可欠であるかがわかると思います。おそらく直接説明することは無理なので、まず、国家の財政に関する仕組みを説明することから始めなければならないでしょう。そして、その説明によって得られた知識を利用しながら、ようやく「国債」という語の意味を理解することになります。そして、この場合、国家の財政に関する知識は「国債」という語の意味を育むための概念基層の一部であると考えられるわけです。このように、ある語の意味を理解するためにはそれに関連する背景知識が不可欠であるという認識は認知言語学の基本的な了解事項となっています（cf. Fillmore 1982, Lakoff 1987）。

　興味深いのは、国家の財政のような高度で複雑な問題について理解する場合、一般的には何らかの概念メタファー（conceptual metaphor/metaphorical concept）が用いられるということです。この概念メタファーとは、レイコフとジョンソンが唱えた、すでに理解している具体的な事柄を通して、新たな事柄や抽象的で実感のわかない事柄を理解する認知メカニズムのことです（cf. Lakoff and Johnson 1980）。例えば、時間という目に見えない実感のわかない概念を私たちは水のように流れるものとして捉えています。これが概念メタファーです。水でもない、それどころか物質でもない時間に関して「時が流れる」という表現を使うのは、本来、論理的に考えたらおかしなはずです。しかしながら、日本語話者はこのような表現をおかしいとは少しも思わないのです。それは「時間は液体である」という概念メタファーを用

いて時間を理解しているためであり、そのため、日本語話者は時間を水のように流れるものとして捉えているからです。

　国家財政の場合は概念メタファーを用いて「家計」に喩えられるのが通例です。一般家庭では、労働によって得た賃金などを収入とし、それを超えないようにお金を使って生活することになりますが、何らかの事情で支出額が収入額を超えてしまうような場合は、通常、借金によってその場をしのぐことになります。これが私たちが持っている「家計」に関する知識です。この知識を国家財政の理解に概念メタファーとして用いた場合、税収などが収入にあたり、国の事業にかかる費用などが支出となるわけです。そして、社会保障費やコロナ禍対策費などの増加で支出が収入を超えてしまった場合にする国の借金が「国債」ということになります。もちろん、国家と家庭、財政と家計は全く異なる性質のものです。そのため、本来は、上記のように捉えるのには無理があるのですが、このように、「国債」を国の借金としてとらえる考え方が一般にとられています。そしてこの場合、「家計」の概念メタファーが概念基層の一部として「国債」の意味に深く関わってくるのです。

　話しは少しそれますが、一般の家庭では、借金が増えて返済できなくなると最終的には自己破産に追い込まれます。そして、このことからの類推によって、国債の増発はやがて国家財政破綻を招くという言説が広く行われているのは周知のとおりです。ところが、国家財政を家計に喩えるのはあくまでも概念メタファーにすぎませんから、これが妥当な推論かどうかは実のところわかりません。実際、最近注目を集めている現代貨幣理論（MMT）は、そもそも国家の財政を上述のような家計のメタファーで捉えること自体が誤りであると主張しています（cf. 森永 2020）。通貨発行権を持つ国家とそれができない個人の家計では多くの点で異なっているため、国家の財政を家計としてみなすことにはかなりの矛盾があるというのです。ここでは、政治的立場は表明しませんが、メタファーが一国の運命を左右しているというのは興味深い問題です[2]。話しを戻しますが、ここで述べたかったのは、「国債」ということばの意味には人間の心的構築物であるメタファーも関与しているということです。

次に、（4）のような、大学の先生と学生の会話について考えてみましょう。この先生はどんなことについて話しているかわかるでしょうか。

(4) 学生：先生、大学の教員って給料高いんでしょう？
　　先生：んー。僕も大学の先生になったら回らない寿司が食べられると思ってたんですけどねえ。最近は、回らないどころか皿の色まで気になるんですよ。

　もちろん、この先生は学生からの質問を無視して、お寿司に話題を変えているわけではありません。きちんと、学生の質問に答えています。しかも、お金や給料について言及せずに。この先生は、給料のような繊細な問題について学生に直接伝えることを避け、ユーモアを交えながら間接的に学生に伝えるという試みを行っています。そこでは、日本の寿司食に関する一般的な知識（回転寿司は安い、寿司が乗っている皿の色によって値段が異なる、等）、お金に関するタブー（社会通念）、学生と先生というお互いの立場、会話自体を楽しむ姿勢など、様々な要因が概念基層となっていることがわかります。（4）の会話が意味を成すのは、言語表現の意味が豊かな概念基層に支えられているからなのです。

9.4 | 私のような場所がこのような女の子の中で何をしているのか？

　また、概念基層には、言語それ自体に関するメタ的な知識も含まれていると考えられます。例えば、あなたの友人に飛行機の出発時間を尋ねる場合、（5）のどちらの表現を使ってもかまいません。もちろん、（5b）の your plane はあなたの所有する飛行機（＝自家用機）を意味する場合もありますが、必ずしも相手の所有物であることを意味する必要はありません。この場合の your は「あなた」と「飛行機」の間に何らかの関係があることだけを表しているにすぎませんので、常識的に考えて「あなたの乗る飛行機」とい

う解釈をしてもらえるでしょう。ですので、基本的には、（5）の両文は同じ内容を伝えるために用いることができます。

（5）a.　When does the plane depart?
　　　b.　When does your plane depart?

　では、今度は、困っている様子の友人を見たときのことを考えてみましょう。あなたは（6）のどちらの表現を使いますか？　この場合はどちらでもかまわないとは言えません。（6a）と（6b）では明らかに異なる内容を伝えているからです。

（6）a.　What's the problem?
　　　b.　What's your problem?

（6a）は純粋に友達を心配して「どうしたの？」と聞くような感じですが、（6b）は、相手の表情などから読み取れる不満や相手の問題行動に対して、「何が気にくわないんだ？」「頭がおかしいんじゃないか。」という非難のニュアンスを伴った発話として解釈されます。では、なぜ（5）では the を your に置き換えてもほとんど支障がないのに、（6b）では相手を非難するようなニュアンスが生じてしまうのでしょうか。（5b）と同様に考えた場合、（6b）の your も「あなた」と「問題」との間の何らかの関係だけを表すことは可能ですので、「あなたが直面している問題」という解釈もありうるはずなのです。ところが、（6b）は「あなたの身の上だけに起こっている問題」という解釈にほぼ限定されてしまうのです。
　これは、本来、普通の言い方があるのにもかかわらずあえて別の言い方をしたために、your が強調されたためだと考えられます。つまり、（6a）のような言い方が本来普通であるにもかかわらずあえて（6b）の言い方をするのは your を強調するためであり、そのため「（私と共有できる問題ではなく）あなたの身の上だけに起こっている問題は何ですか？」と解釈してほし

いというメッセージが込められていると聞き手に解釈されるからだと考えられます。ここで重要なのは、相手を気遣って尋ねる場面では（6a）の言い方が普通であるという表現の使い方に関する知識（＝言語使用に関するメタ言語的知識）を話し手と聞き手が共有しているということです。そして、このような表現の使い方に関する知識が（6b）の意味を生み出す概念基層として働いていると考えられるのです。

　さらに、メタ言語的知識を必要とする極端な例について紹介しておきましょう。（7）は、メタ言語知識を共有していないと全く理解不能な翻訳者泣かせの表現だと言えます。これは『ハムナプトラ（原題 The Mummy）』という映画の中のセリフなのですが、これを文字通り「私のような場所がこのような女の子の中で何をしているのか？」と訳しても全く理解できません。それは、（7）を理解するためには、少なくともあるメタ言語的知識が必要だからです。

　　（7）What's a place like me doing in a girl like this?

　実は、（7）の表現を聞いたときに英語母語話者が真っ先に思い浮かべるフレーズがあります。それは（8）のような「君のような素敵な女の子がどうしてこんなところにいるの？」という表現です。この表現は文字通りの質問を表す解釈の他に、男性が女性に声をかけるときにも用いられるある種の常套句です（『プログレッシブ英和中辞典 第4版』s.v. *girl*）。1963年にマーティン・スコセッシが制作した同名の短編映画もあります。

　　（8）What's a nice girl like you doing in a place like this?

英語母語話者は、（7）の表現を聞いたときに真っ先に（8）の表現を思い浮かべるでしょう。そして、それを踏まえて（7）を解釈します。（7）は、砂漠の古代遺跡の発掘現場で野宿している主人公のオコーネル（男性）と知り合って日の浅いエヴリン（女性）がお酒を飲んでいる場面で発せられます。

まず、オコーネルは、男たちが宝探しのために危険を冒すのは理解できるが、女性であるエヴリンがここにいることが理解できないと言います。それを受けて、エヴリンは「きみはどうしてこんな場所にいるんだ」と言いたいんでしょ？と言おうとするのですが、酔いが回っているために（7）のように言ってしまうわけです。そして、このセリフは文字通りの質問の解釈の裏に「私のことを口説きたいんでしょ」という駆け引きも見え隠れしています。そして、（7）にこのような重層的な意味が生じるのは、（8）に関するメタ言語的知識を概念基層として用いているからだと言えます[3]。

　これまでの議論から、概念化を支える概念基層がいかに豊かなものであるかをご理解いただけたと思いますが、概念基層の中でも特に一般的知識に関する部分は、AI 研究においても早くから指摘されています。松尾（2015）が第 2 次 AI ブームと呼んでいる時代はまさにこのような知識をどのようにAI に実装するかを追求した時代でもありました。概念基層は AI 研究が長年取り組んできた重要課題であったわけです（cf. 松尾 2015: 第 3 章）。

　ここで特に注目したいのは、人間は概念基層によって様々に発現しうる重層的な意味をかなりの精度で確定することができるという事実です。もちろん、精度は 100% というわけではありませんが、少なくとも、ことばによるコミュニケーションが崩壊しない程度には高い精度で確定しているはずです。そしてこの精度の高さには、他者の意図を理解できる人間の能力が深く関わっていると考えられます。次節では、有名な歴史上の失敗例から意味理解には他者の意図を理解する必要があるということを確認したいと思います。

9.5 ｜ カンガルーは食べられるかわからない

　唐突ですが、カンガルーはなぜ「カンガルー」という名前になったかご存知でしょうか。読者の中には「わからない」と即答する人がいるかもしれません。もちろん、この「わからない」は、読者には答えがわからないという意味ではなく、カンガルーは現地語で「わからない」という意味だという意味です。この話は、一時期、日本の教科書にも載っていたようですので、多

くの読者にとって馴染みのある話かもしれません。逸話の概要はこうです。
18世紀にイギリス人探検家のクック船長がオーストラリアにたどり着いた
ときのこと、見知らぬ動物について「あれは何ですか？」と現地人の一人に
尋ねたところ、その人が「カンガルー」と答えたというのです。その現地人
は現地語で「わからない」と言っただけなのですが、フック船長は「カンガ
ルー」がその動物の名称だと思い込み、それをイギリス本土に伝えたという
のです。要するに、かの動物が英語でkangarooと呼ばれるようになったの
は、クック船長の誤解が起源だというお話です。

　それでは人々はいつこの誤解に気づいたのでしょうか？　実は、このカン
ガルーの語源に関する逸話には次のような続きがあります。クック船長がイ
ギリスに帰国してカンガルーの存在が知られるようになった後、オーストラ
リアに赴いたキング船長という人物がいました。その彼が現地人に「あの動
物は何か？」と同じように尋ねたところ、「カンガルー」ではなくminnar
もしくはmeenuahという答えが返ってきたというのです。もし、この
minnar/meenuahがその動物の名称であるとするならば、クック船長が記し
た「カンガルー」とはいったい何を指していたのか。そこで、当時のイギリ
スでは様々な憶測が生まれたわけです。そして、その中で最も広まった憶測
の一つが「カンガルー」とは「わからない（I don't understand.）」という意
味だったのではないか。それをクック船長がその動物の名前だと誤解したの
ではないかというわけです。実際はその後の調査でグーグ・イミディール語
でハイイロカンガルーのことを指すganguruがクック船長の記した「カン
ガルー」の起源であったことが明らかにされているのですが、この話はさら
に続きます。

　キング船長がクック船長の誤解説を提起したきっかけとなったminnar/
meenuahも、なんと誤解だったのです。キング船長が現地人から聞いたと
されるminnar/meenuahは、今ではグーグ・イミディール語のmihhaであ
ると考えられていますが、この単語は、なんと「肉」または「食べられる動
物」という意味なのです。つまり、クック船長の誤解を明らかにした当の本
人がなんと同じ落とし穴に落ちていたわけです[4]。

さらに、カンガルーの語源であるとされている ganguru にも放っておけ
ない問題があります。それは、ganguru がカンガルー一般を指すことばでは
なく、カンガルーの下位カテゴリーであるハイイロカンガルーを指すこと
だったという事実です。なぜ現地人はクック船長にカンガルー一般の名称で
はなく、下位カテゴリーであるハイイロカンガルーの名前を出したのでしょ
うか。

　このカンガルーの逸話は遠い国の大昔の話のように聞こえるかもしれませ
ん。しかしながら、同じことは AI による画像認識においても必ず起こるは
ずです。例えば、一枚のネコの画像に対し「なの」という音声情報を与えた
とします。この「なの」という音声は何を意味しているのでしょうか。「な
の」＝「ネコという種全般」かもしれませんが、それは無数にある可能性の
うちの一つにすぎません。「なの」＝「三毛猫」かもしれませんし、「なの」
「動物」かもしれません。「なの」＝「かわいい」という意味かもしれません
し、「なの」は「ひげ」かもしれません。このように考えると AI が音声と
形式を対応させるのは、思ったよりも難しいはずなのです[5]。

　ここで紹介したカンガルーの例は、他者の意図を理解することに失敗した
ために、意味を取り違えた事例です。意味を育む概念基層は表にはなかなか
現れないため、時折このような誤解が起こるのは仕方がないことです。特
に、文化や一般知識を共有していない場合はその危険性が大きくなります。
例えば、小学生の子どもと公園を散歩しているときに、子どもがある動物を
指さして「あれ、何？」と聞いた場合を考えてみます。聞かれた親は「犬だ
よ」とは答えないでしょう。おそらく、「チワワ」だとか「柴犬」だとか答
えるはずです。なぜそう答えるかというと、小学生の子どもが「犬」がどん
な動物であるか知らないはずがないという推論が働き、知っているのにもか
かわらず聞くのはなぜか、それはより詳しい下位カテゴリーを知りたいの
だ、という推論が働くためだと思われます。初めにクック船長に ganguru
と言った人たちは、おそらく、同じような推論が働いたのだと考えられま
す。つまり、この西洋人たちがカンガルーがどんな動物であるか知らないは
ずがない、それでも聞いているということは、詳しい分類が知りたいのだ

と。もちろん、これはあくまでも例外的なことであって、普段はこのようなことはめったに起こりません。起こらないからこそ、子どもの言語習得が可能なのです。もちろん、起こる場合もありますが、その場合はそのうちに修正が行われますので実際には問題にはなりません[6]。

AIはディープラーニングを得て、自ら一般的な知識を学んでゆくことができるようになりました。これは一つの大きな壁を越えたことを意味します。しかし、AIが話し手の意図を理解することができないのであれば、「カンガルー」の事例が示しているように、結局、形式と意味の対応関係を見つけることができないことになります。もちろん、ほとんどの場合、大量のデータさえあれば、様々の文脈で現れた共通の特徴を抽出することで、AIはこの問題を回避することは可能です。しかしながら、それは真の意味で人間の認知メカニズムをシミュレーションしたことにはならないのです。このように考えると、AIが次に越えなければならない大きな壁は他者の意図を読み解く能力となりそうです。

9.6 まとめ

本章では、ことばの意味は話し手の捉え方も含んだ概念化であるという考え方を出発点に、そのような概念化を支える概念基層が非常に豊かであることを見ました。そして、そのような豊かな概念基層は表には現れないものの、ことばの意味をとらえるためには非常に重要であることも見ました。

もちろん、AI研究においても背景知識や一般常識がことばの意味理解には非常に重要であることは古くから認識されており、これまでにも一般常識をプログラムに組み込む試みがなされてきました。そして、ディープラーニングが革命的であるのは、この一般常識を機械が自ら学習する可能性が開かれたことです[7]。

興味深いのは、この一般常識の中には、概念メタファーによって構成された概念が含まれていることです。メタファーは心的な構築物ですので、外界にある何物にも対応しません。このような人間の心の中だけに存在するある

種の虚構を AI がどのように学習していくのか。個人的には、AI であっても具体的な言語表現を大量に学習することを通して、多くのメタファーを習得することができるのではないかと考えていますが、AI にはメタファーは理解できないという主張もあります（Massey 2021）。今後の研究成果を待ちたいところです[8]。

　見えない概念基層が豊かであればあるほど、ことばの意味を確定する作業は難しくなるはずです。それにもかかわらず、私たちが安定したコミュニケーションができるのは、聞き手が話し手の意図をかなりの精度で理解しているからに他なりません。相手の意図理解が誤っていれば、「カンガルー」の逸話のような誤解が蔓延して、ことばがコミュニケーションの機能を果たせなくなるからです。実は、ChatGPT で AI と会話をしていると、大変違和感を覚えることがあります。それは、なぜ私がその質問をしたのかに関する私の質問意図を全く解そうともせずに答えを返してくることがある点です。私としては、他人の関心事にいっさい興味を示さず、自分に興味のあることだけを必要以上に詳しく一方的に話してくる人と話しているような錯覚に陥ってきます。

　そして、個人的には、この他者の意図理解という難題が AI が越えなければならない最後の壁であり、これがヒトとヒト以外の動物を隔てる大きな溝だと考えています[9]。第 6 章の 6.6 節「理論言語学の課題」において、「ヒトだけが持つ“何か”」を明らかにすることの重要性について述べました。これに対して生成文法が出した答えは普遍文法（UG）であったわけですが、本章で述べたような他者の意図を理解し共有することができる人間の能力の中にその答えの一部が隠されているのかもしれません。他者の意図を理解できなければ、形式と意味の対応関係を築くことができないわけですから、複雑なセンテンスを習得する以前に、簡単な語彙すら習得できないことになります。

1 フレームという概念は用いる人によって多少内実が異なっていますが、AIでは Minsky（1975）などが有名です。言語学では Fillmore（1982）が古典的な研究とされています。また、AIでは無限の可能性の中から関連する情報と無関係な情報をどのように振り分けるのかという難問（フレーム問題）が指摘されてきました（cf. 松尾 2015: 103–105）。

2 概念メタファーと政治の問題に関しては、Lakoff が研究を行っています（cf. Lakoff 1996）。

3 さらにこの（7）と（8）の理解には Kay and Fillmore（1999）が指摘した *What's X doing Y?* 構文が場にそぐわないこと（incongruency）を表すという知識が不可欠です。

4 このカンガルーの逸話について詳しく知りたい方は、Deutscher（2010: 158–161）を参照。

5 これは哲学者クワインがガヴァガイ問題として提案した問題です（cf. Quine 1960）。

6 実際、我が家でも娘が「お仕事中」という表現を「書斎」を表す言葉だと誤解していた時期がありました。「お父さんは？」という娘の質問に対し、母親が「お仕事中」という返事をしたことから、「お仕事中」＝「書斎」だと理解したようです。もちろん、いつの間にかこの誤解は解けてしまいました。

7 実際、現在の ChatGPT の会話を支えているのは、インターネット上から学習した膨大な知識です。

8 人間の知性の解明を目指す AI 研究にとって人間の類推能力（アナロジー）は重要な研究課題であったことは間違いありませんが、それと密接な関係がある概念メタファーの研究は AI の領域ではあまり行われてこなかったようです（Barnden 2006: 435）。

9 ヒトと類人猿のコミュニケーション能力の差異に関して Tomasello は早くから注目すべき研究を発信し続けています（cf. Tomasello 1999, 2008, 2014）。

用法基盤主義とメタファー

　第8章で概念は言語を通して習得される側面があるということを考察しましたが、それは、9.4節で取り上げた概念メタファーについても当てはまるかもしれません。ここでは、野村（2002）が考察している「ことばは液体である」という、日本語に見られる概念メタファーを例に考えてみます。

　日本語を見ると、話者はことばを液体に準ずるようなものとして捉えているようです。それは「不満を漏らす」「噂が流れる」「よどみなく話す」のような表現となって現れています。「漏らす」「流れる」「よどむ」などは液体に関わる事象を表す動詞ですから、日本語話者は言語をある種の液体として概念化していると考えられるのです。

　もちろん、現実世界には液状のことばは存在しません。それなのにどうやって、ことばが液体であるという概念およびそのような感覚を日本語話者は習得するのでしょうか？　これは、以下のように考えれば説明がつきます。子どもはまず「水が流れる」「川が流れる」などの表現を通して「流れる」という動詞が表す具体的な意味を習得します。「漏らす」「よどむ」についても同様です。それと同時に、大人たちが話す「噂が流れる」「不満を漏らす」といった概念メタファーに基づく表現にも子どもたちは触れます。その際、子どもたちは、水や川に見られる特徴を噂や不満にも当てはめて理解するようになると考えるのです。

　マセイが主張するように、AIはメタファーを原理的に理解できないのだとしたら、メタファー理解は人間と機械を選別するための新しいチューリング・テストとなるかもしれません（cf. Massey 2021）。しかしながら、用法基盤モデルが予測していることは、AIも大量のデータから具体的な表現を学習すれば、「ことばは液体である」などの概念メタファーを学習できるということです。メタファー表現を含んだ大量なデータに触れることで、AIも概念メタファーを習得できるかもしれないと私は考えています。

第10章

ベッドに合わせて
足は切らない

10.1 はじめに

　突然ですが、ビルや道路のような、動いていないものについて私が「動いている」と言ったとします。もちろん、誰も私の言うことは信じてくれないと思います。多くの場合、一笑に付されるだけでしょう。それにもかかわらず、私がこの奇妙な主張を変えなかったとしたらどうでしょう。半ば憐れみながら「そうだね。あなたの言う通り動いている。」と言ってくれる人もいるかもしれませんが、場合によっては、何らかの方法で白黒はっきりさせようということになるかもしれません。議論の決着をつけるのは簡単です。計測するなどして物理的な証拠を出せばよいだけですから。ところが、計測の結果を受けてもなお、私が「たしかに客観的（物理的）には動いていないが、私の心の中では動いている」と言って主張を曲げなかったとします。この場合はどうでしょう。多くの人は、議論を続けることに虚しさを感じ、「この人とは何を議論しても無意味」と言って、議論すること自体をあきらめてしまうかもしれません。

　本書第8章、第9章において、ことばの意味は外界の状況を直接心内に写し取った心的表象ではない。そこには必ずその状況に対する話し手の捉え方（construal）が含まれるということを考察しました。これを受けて、本章では、この「ことばの意味には話し手の捉え方が必ず含まれている」という事実が上記のような不毛な議論を引き起こしてしまうという問題について

深堀していきたいと思います。本書第 5 章でパラダイム間のルールの違いについてのお話をしましたが、本章ではそれよりももっと深刻な問題である、そもそも理論間での対話が成り立たないという問題について考えます。

10.2 | 無敵の理論はいらない

　上記の議論は、科学哲学の分野などで盛んに議論され、生成文法など多くの理論言語学研究の拠り所とされている「反証可能性」に関する問題です。反証可能性（falsifiability）とは、経験科学の仮説は、反証されうる体裁をとっていなければならないというもので、厳しい検証に晒されつつも反証されずに残っている仮説がその時点で最も優れた仮説ということになります（cf. Popper 1959）。冒頭の議論が虚しいのは、どんな客観的な証拠があろうとも「私の心の中では動いている」と言い張ってしまった時点で、いっさいの検証を受け付けない、つまり、反証可能性のない理論になってしまったからです。反証例を受け付けないような無敵の理論は科学としては失格なのです。

　認知言語学者はあまり気にしていませんが、実は、他の学派の研究者たちは認知言語学の研究に対してこの虚しさを感じています。彼らに言わせれば「認知言語学者はなぜこの虚しさに気づかないのだ。反証可能性のない何でもありの理論は、何にも主張していないのと同じなのに」となるわけです。もちろん、認知言語学者はこの批判に対して真摯に応えなければなりません。おそらく、認知言語学者の対応は少なくとも大きく分けて二つあると思います。一つは、心理学的実験などを用いて心の中で実際にビルが動いているかどうかを科学的に反証可能な方法で検証するという立場で、これが現在の認知言語学の世界的な潮流だと言ってもいいでしょう（cf. 篠原・宇野 2021）。もう一つは、反証可能性を絶対的な経験科学の条件とは考えないという立場です。もちろん、反証可能性はあったほうが望ましいことは否定できませんが、それでもなお、それがないからといって、ある主張が科学的に無意味だとは考えないという立場です。

ラネカーは、この二つ目の立場をとっています。多くの認知言語学者が一つ目の立場、つまり、反証可能性を求めて心理学的実験や統計学的な調査に乗り出す中、ラネカーは無批判に反証可能性を求めたりはしないのです[1]。それでは、なぜ、ラネカーは旧態依然としたやり方を貫いているのでしょうか。それは、安易に反証可能性を絶対視してしまうと反証可能な現象だけを扱うという方向に研究が誘導されてしまう可能性があるからです[2]。それではベッドに合わせて旅人の足を切ったというギリシャ神話のプロクルーステースと同じことになってしまいます。本来は、ベッドのほうを旅人の身長に合わせる必要があるのは言うまでもありません。

10.3 ｜ 分断の真犯人

　私は、ときおり、認知言語学とはどのような学問なのか端的に説明してくださいというリクエストを受けることがあります。リクエストする側にとってみれば至極当たり前の質問ですが、リクエストされた側としては大変答えに苦しむ質問です。認知言語学という肥沃な大地を簡潔にまとめなければならないからです。私の苦し紛れの答えは、「言語現象を他の一般的な認知メカニズムと同様のメカニズムによって説明する試み」ですが、もちろん、他にも様々な回答がありえると思います。さらに踏み込んで言うと、ことばを習得したり新たに作り出したりする言語能力は他の認知能力には還元できないとする生成文法などの主張（＝言語能力の自律性仮説）に対するアンチテーゼが認知言語学だと私は考えています[3]。

　ただ、このような認知言語学の試みは、実は、言語学のパラダイムをひっくり返すほどの大きな転換だとは（少なくとも私には）思えません。なぜなら、言語の自律性にしろ、非自律性にしろ、つまるところ研究を始めるにあたっての初期仮説にすぎないため、正しいやり方で研究を進めていく限りにおいては必ず同じゴール（真理）に最終的には辿り着くはずだからです。私の恩師である河上誓作先生曰く、「同じ山を西から登るのか東から登るのかの違い」に過ぎないわけです[4]。認知言語学の試みを続けていって、最後に

どうしても一般的な認知能力に還元できない部分が残ったら、それがまさに生成文法の主張している自律的な言語能力ということになりますし、生成文法としても極小主義（minimalism）を追求していった結果、最終的に自律的な言語能力はないという結論に至るかもしれません[5]。そのように考えると、認知言語学と生成文法は対話が成立しないほどにかけ離れた主張はしていないということになります。

　それでは一体何が、対話が不可能なほどに認知言語学と生成文法を分断しているのでしょうか。その原因は、認知言語学者が話者の「捉え方」をことばの意味の一部として取り入れていることに起因していると私は考えています。この「捉え方」の存在が認知言語学の方法論と思考法にパラダイムシフトと呼べるほどの大きなインパクトを与えているのです。

10.4 ｜ アヒルと言う、ゆえに、アヒルあり

　あまりに当然すぎて普段あまり意識されませんが、人間は与えられた状況に対して異なった見方や解釈をすることができます。新型コロナウイルスを危険だとみなす人もいれば、（他の感染症と比べると）それほど危険ではないとみなす人もいるのはこのためです。そして、このように事象に対する捉え方に差異が生じるのは、人間は外界の情報をただ単に受動的に受け取るだけではなく、外界の情報に対し積極的に意味づけを行うからです。そして、このような積極的な意味づけ作用を認知言語学では「捉え方」（construal）と呼んでいることは第8章で紹介しました。次の図1をウサギと見るかアヒルと見るかは、その人の捉え方次第というわけです。

　では、他者がこの図1を見た際にどのように捉えているか、つまり、アヒルと捉えているかウサギと捉えているかはどのようにすればわかるのでしょうか。それほど難しいことではありません。これは何ですかと聞いてみればいいのです。「アヒルです」と答えた場合は、その人はアヒルと捉えているはずですし、「ウサギです」と答えた場合は、その人はこの図をウサギと捉えていることになります[6]。

図1　Wikipedia（Rabbit-duck illusion）

　このように、ある人が提示された状況に対しどのような捉え方をしている
のかは、その人の言語表現を見ればわかるわけです。そして、このような論
理が認知言語学の分析の前提にはあるのです。無数にある可能な表現の候補
の中からある言語表現を選んで用いたというそのこと自体がその話し手がど
のような捉え方をしているのかを示す一つの証拠になるというのです。

　そしてこのことは、重要な問題をはらんでいます。相手が「アヒル」と答
えたということが、その人物がこの図をアヒルと捉えていることを示す証拠
になるという論理には循環が存在するからです。簡単に言ってしまえば、捉
え方が表現を決めるため、表現を見れば捉え方がわかるのですが、そもそも
その表現は捉え方が決めているということです。このような循環をここでは
便宜上「表現と捉え方の循環論」と呼んでおきます。

　もっと身近な例を使って表現と捉え方の循環論を考えてみましょう。坂道
は「上り坂」と言っても「下り坂」と言ってもいいわけですが、ある人物が
「上り坂」と表現したことを根拠に、その人物はその坂道を下から上へ移動
するものとして捉えていると認知言語学者は主張します。ところが、その人
物がその坂道を下から上へ移動するものと捉えていることをどのように証明
するのですかと言われたらどうでしょう？　なんと、認知言語学者はその人
物が「上り坂」と言ったからですと答えるのです。そこで、ではなぜその人

物が「上り坂」と言ったのですかと聞かれたら、今度は、その人物がその坂道を下から上へ移動するものとして捉えているからですと答えることになります。これでは何も答えてないことになるわけです。このような無意味な循環論を避けるためには、言語とは独立した証拠を示してやる必要があるわけです。

　言語とは独立した証拠とは、例えば、心理学的な実験や統計データなどから得られる証拠などです。このケースでは、アイトラッキング（eye tracking）などの技術を使って、話し手が本当にその坂道を下から上に向かって視点を移動させていることが示されれば、それがその人物の坂道に対する捉え方（の一部）を証明したということになるでしょう[7]。そして、もちろん、そのような方向で研究を進めるのも一つの方法でしょう。ところが、実際には、独立した証拠を出すのはそう簡単ではありません。アイトラッキングを使って調べてみても、なかなか思うような実験結果は得られないからです。視点は決して下から上へと一直線には動いてくれません。「上り」という捉え方は、視点を行ったり来たりさせながら様々な個所を注視することによって得られた総合的な認知像なのです[8]。しかも、「上り」（上方向への移動）のような比較的単純な捉え方ですら独立した証拠を出すのは難しいわけですから、すべての言語表現一つ一つに独立した証拠を示すのは、（少なくとも現代の科学では）不可能に近いと思われます。

10.5 ｜ ベッドに合わせて足は切らない

　このように、話者がどのように事態を捉えているのかに関して独立した証拠がなかなか出せない中、認知文法では次のように考えています。実験によって実証することができればそれに越したことはないが、実験で検証できなくても、話し手がどのように事態を捉えているかを調べるために言語表現を手掛かりに使うことには問題はない。つまり、話し手がある表現の仕方をするということ自体が話し手が事態をそのように捉えていることの証になると考えるのです。例えば、(1) を見てください。(1) はともに同じ場面で用

いることができますが、must と have to にはニュアンスの違いがありま
す。一般には、「must が、話者の側が主語に課す義務・必要を表すときに用
いられるのに対し、have to は話者の思惑とは無関係な、周囲の事情などの
客観的な要因に基づいての義務・必要を述べるときに用いられる。」（中野
2014：60）とされています。仮に、（1）を教師から生徒に向けられたセリ
フと考えた場合、（1a）は教師の主観的な思惑を表し、（1b）は生徒の志望
校のレベルと現在の成績との開きを見た教師が客観的な分析に基づいて述べ
ているということになります。

（1）a.　You must study harder.
　　 b.　You have to study harder.

　ところが、この説明だけでは困ったことが起こります。なぜなら、この説
明に従えば、客観的な資料がない場合には、（1b）のようには言えないこと
を予測しますが、実際には、もちろん、客観的な資料がなくても（1b）の
ように言うことはできるからです。話し手（＝教師）が自分は客観的に判断
を下していると思っているだけで have to が使えてしまうのです。というこ
とは、結局、must を使うか have to を使うかは、話し手の捉え方次第とい
うことになるわけです。重要なことは、ある状況においては must を使わな
ければならない、また、別の状況においては have to を使わなければならな
いということではなく、must または have to を用いて表現したというその
事実が話し手が状況をどのように捉えているかを表しているということなの
です。もちろん、教師自身が主観的な意見だと自覚している場合にも have
to は使えます。その場合は、本当は教師の個人的な意見であっても、それ
を隠すために have to を用いるわけです。このような問題はコーパスを用い
た研究でも解決することはできません。仮に、大規模コーパスを用いて客観
的な資料がある場合に have to の出現頻度が高く、それがない場合に must
の出現頻度が高いということがわかったとしても、個別の事例を予測するこ
とはできません。場面場面での話し手の捉え方や意図が選択に反映されてい

るからです。

　本来ならば、このような表現と捉え方の循環論は避けたいわけですが、言語表現の意味には話者の「捉え方」が不可分に含まれ、この捉え方を独立に証明することができない以上、この循環論は避けられないものとして受け入れるしかありません。この循環論を避けるために「捉え方」を意味から排除することはできないからです。それをやってしまうとベッドに合わせて足を切るという愚を犯すことになってしまいます。

　そして、冒頭で述べた絶望的な議論は、ここにつながってきます。（2）を見てください。実際には、ビルがどこからか集まってくるはずはないですし、高速道路が走るはずもありません。しかし、ここでは、「集まる」「走る」という動作を表す動詞が用いられています。

　　（2）a.　駅前には大きなビルが集まっている。
　　　　b.　この町の中央には高速道路が走っている。

これは虚構移動（fictive motion）などと呼ばれる表現手段ですが、物理的には動いていない事物に対してまるで動いているかのように表現しているわけです。そして、これまでの捉え方に関する議論に従うと、なんと、この（2）のような表現を用いた話し手は、心的なレベルにおいて、静的な状況の中に何らかの動き（この場合は、「集まる」「走る」）を見ているということになります。重要なのは、（2）のように話し手が表現するというまさにその事実が、話し手が（おそらく無自覚に）ビルや道路に動きを見ているということを示す証拠になるということです。当然、本章の冒頭でも述べたように、心的なレベルではビルや高速道路が動いているなどと主張しても到底受け入れられないと思います。しかもその証拠がただ単に「そういう言い方をしたから」などというのは言語道断です。ほとんど説明になっていないじゃないかとなるわけです。

　実は、認知言語学と生成文法の対話を困難にしている最も決定的な要因は、ここにあると私は考えています。認知言語学においては次のように考え

ます。ことばの意味には話し手の捉え方が不可分に含まれる。しかも話し手がどのような捉え方をしているのかに関する客観的な証拠を出すのは極めて困難である。しかしながら、言語表現を見れば、話し手がどのような捉え方をしているのかがわかる。したがって、言語表現を根拠に、話し手がどのような捉え方をしているのかを明らかにすることができる。

　そして、このような認知言語学の考え方が理解されないがために、生成文法をはじめとする多くの言語学者には、認知言語学は理性的な議論すら受け付けない特殊な集団のように見えてくるわけです。「動いていると言ったから実際には動いていなくても話し手の心の中では動いている」なんて、普通に考えたら暴論以外何物でもありません。もちろん、独立した証拠が出せれば話は別ですが。ただ、認知言語学者にとっては、反証可能性を保証するために話者の「捉え方」を観察対象から排除することはどうしてもできないのです。それでは、ベッドに合わせて足を切ることになってしまうからです。

　この「捉え方」の導入がまさに認知言語学が言語研究にもたらした本当の意味でのパラダイムシフトであり、既存の言語学との対話を困難にするほどまでのインパクトを持っていると私は考えます。以前、ある高名な言語学者がシンポジウムの壇上で「自分はどの言語理論にも与しない中立的な立場を保っている。どんな研究であっても反証可能な議論が展開されている限りにおいて検討に値する」という趣旨のことを発言していました。この"中立"な研究者にとっては、反証可能な議論を展開しない認知文法の研究は検討にも値しないことになってしまうわけです。

10.6 ┃ 脱循環論

　認知言語学では、ことばの意味には話者の捉え方が不可分に含まれていると考えます。そしてこのように考えると、厳密な意味での反証可能な研究は不可能であるという結論に至ることになります。表現と捉え方の循環論に陥ってしまうからです。これは、科学の研究プログラムとしては大変不都合なことです。しかしながら、この不都合な事実から目を背けることはできませ

ん。もちろん、反証可能な現象だけを扱うこともできるかもしれませんが、それではベッドに合わせて足を切ることになってしまいます。

　認知言語学が引き起こしたパラダイムシフトとは、「捉え方」の存在を認識したことに伴って、反証可能性の呪縛から解かれたことだと私は考えています。反証可能性を理論の必要条件にしてしまうと、「捉え方」に関して議論することが難しくなってしまいますが、反証可能性を絶対視しなければ、話者が事態をどのように捉えているかに関する深い議論ができるようになるからです。もちろん、その際、何でもありにならないように様々な制約を自らに課していることも忘れてはなりません。第7章で紹介した内容要件（content requirement）もそのような制約の一つですし、収束証拠（convergent evidence）もその一つです。収束証拠とは、一言で言ってしまえば、一つの証拠だけを絶対視するのではなく、できるだけ多様な証拠を用いて仮説の確からしさを増すという考え方です（cf. Lakoff and Johnson 1999: 80）。そのため、認知言語学では、例えば、言語的な証拠だけを用いるのではなく、他分野からの知見を証拠として用いるということが奨励されています。しかしながら、これまでの議論で明らかなように、表現と捉え方の循環論を避けるために独立した証拠を示すのはなかなか難しいのが現状です。

　しかしながら、もしディープラーニングによって「捉え方」がシミュレーションできるようになったらどうでしょう。例えば、仮に虚構移動がディープラーニングでシミュレーションできるようになったとしたら、表現と捉え方の循環論を克服することができます。独立した証拠を示すことができるわけですから。ディープラーニングのシミュレーションは収束証拠の一つとして認知言語学の仮説の確からしさをその分だけ高めることができるのです。

　本書3.4節で、ディープラーニングが錯覚までをも引き起こすようになってきたと述べました（cf. Watanabe et al. 2018）。この実験が示唆していることは、AIは客観的現実（objective reality）を扱えるだけでなく、人間と同じような心的現実（psychological reality）をも扱えるようになりつつある可能性があるということです。この心的現実についてはフレーザー・ウィルコックスの錯視と呼ばれる現象を用いて説明します。次の図2の左側の

図は、錯視を起こすようにデザインされているため模様が動いて見えます。これに対し、右側の図は比較のためそのような錯視が起こらないようにデザインされていますのでそのような動きは感じられません。

(C) Akiyoshi Kitaoka

図2　回転錯視（Watanabe et al. 2018）

もちろん、図2の左図で感じられる「動き」は、客観的な現実世界で起こっているわけではありません。見ている人それぞれの心内で起こっている「動き」です。客観的な現実世界だけしか認めない立場では現に知覚されているこの「動き」は実在しないことになってしまいますが、心的な現実世界の存在を認めれば、この「動き」は心的現実においては実在しているということになるわけです。重要なことは、この左側の図の「動き」は心的には現実だということです。

　Watanabe et al.（2018）は、ディープラーニングで学習したAIがこの両者の画像を生成する実験を行ったところ以下のような差異が見られたと報告しています。図3の画像内の赤い部分はベクトル（動き）を表しています。要するに、AIも人間と同じように図2の左側の図から動きを検知し、右側の図からはほとんど動きを検知しなかったというのです。

　私たちは身体活動を通して外界の情報を得て心内の表象を構築しています

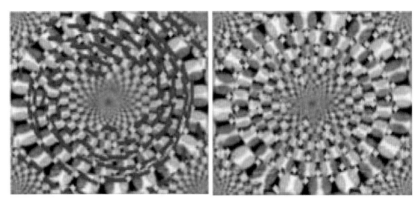

図3　AIが生成した画像（Watanabe et al. 2018）

が、その心的表象は外界世界の完全なコピーではありえません。錯視として一般に知られている現象はこのことが端的に表れたケースです。錯視は、外界世界と観察者の心的世界が一致しない（ことが自覚された）ときに見られる現象なのです。このことが示しているのは、人間は客観的現実ではなく心的現実の中で生きているということです。そして、ディープラーニングも人間と同じように錯視を起こすことが示された今、AIも人間と同じように心的現実を持ちうるということが明らかになったわけです。そしてそれは、AIにより人間の心的現実をシミュレーションする道が開けたということになります。この研究を行った研究チームはこれを逆心理学（reverse psychology）と呼んでいますが、この手法はいずれ言語学の手法にもインパクトを与える可能性があります。例えば、現在では「ビルが集まっている」という表現では本当に心的現実の中でビルが動いているのか否かという問いには答えることができません。認知言語学者としては、「ビルがある」という表現ではなく、「ビルが集まっている」という表現を使ったということは、心的現実の中ではビルが動いたと捉えているはずだとしか言えないわけです。ところが、将来的には、この逆心理学の手法を取り入れてシミュレーションすることにより、虚構移動と呼ばれる捉え方に関わる現象に対し独立した証拠を提示することができるようになるかもしれないのです。生成されたビル群の画像に図2の左図のようなベクトルが現れるかどうかを確認すること

よって虚構移動の心的実在性を検証することが可能になるというわけです。

　ただし、言語学者がこのような検証をするためには、表現から画像を生成する技術の開発が不可欠です。このような技術は、テキストからの画像生成（text-to-image generation）と呼ばれており、こちらの技術もディープラーニングの登場によって飛躍的に進歩しています。実際、この技術を使って、表現の意味を（部分的にではありますが）確認することが可能になってきています[9]。例えば、テキストからの画像生成技術を用いれば（3）の文から図4を生成することが可能です。

（3）a.　This bird is blue with white and has a very short beak.
　　　b.　This bird has wings that are brown and has a yellow belly.

（Zhang et al. 2017）

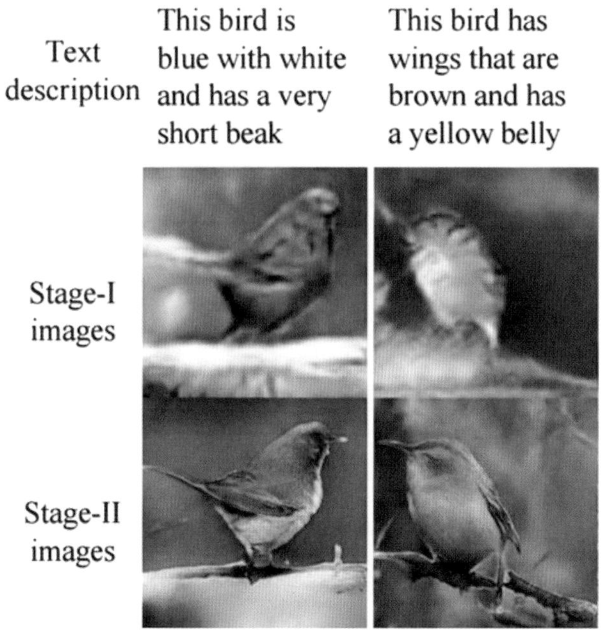

図4　Zhang et al. (2017)

（3）および図 4 は、部分の総和が全体の意味になるという合成性の原理
（the principle of compositionality）に従った表現のシミュレーションになっ
ていますので言語の創造的・想像的側面に関心のある認知言語学者にはあま
りインパクトを与えないかもしれませんが[10]、これを足掛かりに Fauconnier
and Turner（2002）が主張しているような概念融合（conceptual blending）
も AI により検証することができるようになるかもしれません[11]。この技術
にもまだまだ課題は山積していますが、それでも、この技術の精度が高まっ
ていけば、ある表現が意味することを視覚イメージのレベルでは検証するこ
とができるようになるはずです。

　池上の研究で知られるようになった川端康成の『雪国』の冒頭の文とサイ
デン・ステッカーによるその英訳があります。（4）を対照してみてくださ
い。

　　（4）a.　国境の長いトンネルを抜けると雪国だった。
　　　　 b.　The train came out of the long tunnel into the snow country.

（池上 2000: 291）

図 5　町田（2020b: 83）

両者は、図 5 に示すように、視点のとり方が異なっています。（4a）の日本
語から得られる視覚イメージは左側で、（4b）の英語から得られる視覚イメ
ージは右側の図になります。おそらく、これに異論はないと思います。それ

にもかかわらず、これまで、残念なことに、本当にこのような視点のとり方の差異が日本語と英語の間に見られるのかを検証することはできませんでした。直感に頼るしかなかったのです。ところが、今後のテキストからの画像生成技術の発展次第では、この視点のとり方、つまり、日英語の捉え方の差異が検証できるようになるかもしれないのです。

　本書第8章において、AIマシンは話者が心の中でどのように状況を捉えているかを知る由もないので、これがディープラーニングの言語学習にとって大きな障壁になると述べました。ところが、これと矛盾するようですが、ディープラーニングは逆に表現を通して話者の心の中まで覗き込むことができる、言い換えると、心的現実までシミュレーションし検証できるようにしてくれるかもしれないのです。そしてその暁には、この技術を用いて「捉え方」に関する実証的研究が一気に加速するかもしれません。そうなれば、表現と捉え方の循環論に悩まされずにすむようになるかもしれないのです。

1　通常、実験とはみなされていませんが、最小対立（minimum pair）の表現を作例する理論言語学の従来からの手法は実験とみなすことができます。生物学では、特定の遺伝子を操作したノックアウト・マウスを作り出すことを通してその遺伝子の機能を調べるという実験を行うことがありますが、基本的に、これと同じことだからです。このように考えると、言語学者が非文や容認度の低い表現を人工的に作り出すのも実験の一種であると言えます。

2　アメリカ構造主義言語学が"科学的に"研究することが難しいという理由で意味に関する研究を後回しにしたというのは有名な話です。大規模コーパスなどの技術的発展が理論に多大な貢献をもたらすことは言うまでもないことですが、仮にコーパスによる研究には向かない事象を研究対象から除外するという研究態度が醸成されるのであれば、アメリカ構造主義言語学と同じ轍を踏むことになってしまいます。

3　以前、ある方が「認知言語学はもう一人前の学派なのだからそろそろ生成文法の悪口を言うのはやめたらどうか」と言っているのを聞いたことがあります。たしかにその方の言う通りなのですが、アンチテーゼという性格上どうしても（悪口ではなく）比較をする必要性を感じてしまいます。もちろん、アンチテーゼであるということ自体にも異論はあると思います。

4　生成文法の立場からは、黒田（2005）がその序文で「言語が種々な観点から研究されるのは当然のことであり、生成文法と認知言語学とは原理的に相容れないというものではありえず、広くいって相補うべきものであるばかりか、生成文法研究の過

程で認知言語学的姿勢をとって問題を整理し解明しながら進むということもありうる」と述べています。

5 実際、藤田（2023）では自律的な言語の特徴とされる併合（Merge）も人間特有の現象ではない可能性を追求しており、その点においては、認知言語学の主張と対立してはいないと考えらます。

6 もちろん、現実世界では、本心を隠す場合などもありますので、人間の意図が関わるとそれほどシンプルではないのは言うまでもありません。

7 アイトラッキングとは、装着したゴーグルのようなセンサーで人の目の動きを検知して、その人が何を見ているかをリアルタイムで追う技術です。

8 実際、Mauro and Whitney（2022）のアイトラッキングを用いた研究では、人間が現在目にしている視覚像（イメージ）は過去数秒間の視覚像のダイジェストであることがわかっています。

9 この技術を用いた DALL-E という AI は現在 web 上で無料で公開されています（https://labs.openai.com/）。現在では、さらに、テキストから動画を生成するという研究も進んでいます（Hong et al. 2022）。

10 もちろん、(3) も完全に合成性の原理に従っているとは言えません。

11 ちなみに、本書執筆中（2023 年 3 月）に DALL-E を用いて pig police, whale doctor という表現から画像を生成したところ、それぞれ警察官の姿をした豚と医師の姿をしたクジラのイラストが生成されました。これは、この程度の概念融合の検証をすることはもうすでに可能だということを示しています。

第11章

話すために考える

11.1 はじめに

　多くの人々が関心を寄せてきたことばに関する話題の一つに、話す言語が異なれば、見える世界が異なるのかというものがあります。身近なところで言えば、英語話者と日本語話者では同じ世界に住んでいても見えているものが異なるかもしれないという考え方です。数え方によるので正確な数字を示すことは不可能なのですが、世界には7000語を超える言語があるとも言われています[1]。もし話す言語によって世界の見え方が本当に異なるとしたら、同じ世界を見るとしても7000通り以上の見方が存在することになります。もちろん、そんな単純な計算では測れないのですが、それでも、話す言語が異なれば、同じ状況に対して異なった捉え方をしている可能性が少なからずあるわけです。

　もし言語が異なれば見える世界が異なるのであれば、そもそも言語間の完璧な翻訳は成り立たないのではないかという疑問がわいてきます。極論すれば、異なった言語を話す者同士は、どんなに優れた通訳を介しても厳密にはわかり合えないということにもなるわけです。本書ではことばの意味には事態に対する話し手の捉え方（construal）が必ず含まれるという話を何度もしていますが、本章では異なった言語間に見られる捉え方の違いがどのように人間の思考に影響を与えるかについて考えてみましょう。

11.2 | 言語相対論

　言語が異なると世界の見え方が異なるという考え方は、言語相対論または
サピア＝ウォーフの仮説などと呼ばれています。興味深いことに、日本の大
学生に「言語が異なると見えている世界が異なると思いますか」と質問する
と、「異なると思います」と自信をもって答える学生が少なからずいます。
自分の意見に自信がないと揶揄される日本人学生としては異様なほどに自信
たっぷりの学生もいます。一方、ヨーロッパやアメリカで同じ質問をすると
「異なるはずがない」と自信たっぷりに答える学生も結構いるそうです。こ
の違いはいったいどこから来るのでしょうか。

　実は、多くの場合、日本人学生はこの質問の意味を間違って理解していま
す。それは、言語と文化を混同して、頭の中で勝手に「文化が異なると世界
の見方が異なると思いますか」という質問に（勝手に）置き換えてしまって
いるからです。当然、文化というのは、その文化に特有の考え方や世界の見
方を含んでいますので、日本人の回答が肯定的になるのも頷けます。でも、
ここで問題としたいのは、文化ではなく言語の影響です。つまり、仮に文化
と言語を完全に切り離すことができたとしたら（そんなことは現実として不
可能なのですが）、言語の違いが世界の見方の違いを生み出すと思いますか
ということなのです。

　そこで、私は次のように問い直します。長年日本に住んでいて、日本人と
同じようにご飯を食べ、お祭りに参加し、身も心も日本文化に染まった生活
をしている外国人が、日本語だけは全く話せないような場合、その外国人は
日本語をしゃべる日本人とは異なった世界を見ていると思いますか？　する
とどうでしょう。今度は、多くの学生が、その場合はさすがに使う言語が異
なっても世界の見方は同じなのではないかという意見に傾いてきます。つま
り、言語の差異は世界の見方の差異を生み出さないということです。もちろ
ん、それでも言語相対論を支持し続ける学生もいますが、その場合、言語に
よって虹の色の数が違うとか、エスキモーの言語では雪の下位分類を表す単
語が豊富だとか、どこかで聞いたような事例を持ち出して反論するだけで、

そのことをもって見ている世界が異なるとまで言えるのかという問題の本質には迫れません。

　なぜ日本の学生たちはこのような反応をするのかに関しては、私にはちょっとした仮説があります。一つには、島国である日本においては、日本文化＝日本語文化と言ってもよい状況があるということです（もちろん、厳密にはそんなことは言えませんが）。言語＝文化という考え方が成立しないことについては、諸外国に目をやればすぐにわかります。異なる文化・民族が同じ言語を使う場合もありますし、その一方で、同じ文化や民族内でも異なる言語を使っている場合もあります。このような事情に疎い日本人にとっては文化と言語を切り離して考える状況は想像しがたいのです。

　また、鈴木孝夫の著作が大学受験生に与えた影響も少なからずあると思います。言語相対論的な考え方を紹介した『ことばと文化』や『日本語と外国語』などの鈴木の著作は、かつて大学入試の現代文の問題によく用いられていました。そのインパクトは、実際に試験を受けた受験生だけにとどまらず、過去問や予備校の授業などを通して何世代もの日本人に受け継がれています。学校の先生や親までもがふとした雑談の折にそんな話をするほど、言語相対論的な考え方は日本人の"常識"になっているのかもしれません。

　一方、多文化、多民族、多言語が当たり前の社会では、言語が異なるだけで世界の見方が異なっているという考え方はあまり説得力を持たないでしょう。話す言語が異なっていてもそれなりにわかり合いながらなんとかやっているという実感があるからだと思います。

11.3 ｜ 捉え方

　では、認知言語学者はこの点についてどう考えているのでしょう。第10章では、概念内容に対する話者の捉え方をことばの意味の中に取り入れたことが、認知言語学の最も特徴的なところであり、パラダイムシフトと呼べるほどの大きなインパクトを与えたと述べました。簡単に言えば、同じ対象を「上り坂」と表現しても「下り坂」と表現しても良いわけですが、同じ対象

を指示しているという理由だけでは両者が同じ意味であるとは言えないということです。表現が異なっていれば、それは少なくとも異なった捉え方をしていることの証拠であり、異なった捉え方をしているということは、意味が違うということになるわけです。

「上り坂」と「下り坂」は意味が違うということには異論はないかもしれませんが、例えば、「玉ねぎのみじん切り」と「みじん切りの玉ねぎ」はどうでしょう。もしかすると、両者の意味は同じだと答える人もいるかもしれません。しかしながら、よく考えてみると、前者は「（玉ねぎで構成されている）みじん切り」を指し、後者は「（みじん切りに切断された）玉ねぎ」を指しているという点でやはり異なった意味を表していると言えます。同じものを指示していても表現の仕方が異なれば捉え方が異なるのです。

このように考えると、表現（形式）が異なれば意味が異なる、意味が異なれば表現（形式）が異なるということは自明のことのように思えてきますが、実際には、この考え方に同意しない言語学者も多くいます。例えば、「おじいさんが生まれた朝」と「おじいさんの生まれた朝」の場合は、どうでしょう。両者の意味の違いを留学生に説明しようと思ってもなかなか難しいと思います。これは「ガ・ノ交替」と呼ばれる現象で、長年、（意味の違いを生み出さない）純粋な統語現象と見なされてきました（cf. 原口・中村・金子 2016: 206–207）。ここでは「ガ・ノ交替」について専門的な議論をすることはしませんが、重要なことは、それでもなお、認知言語学では両者の意味は異なると考えているということです。つまり、「おじいさんが生まれた朝」と「おじいさんの生まれた朝」は同じ概念内容を表しているかもしれないが、捉え方のレベルで異なっていると考えるのです。実際、これを純粋な統語上の現象と捉えてしまうと、「学校へ行った」と「学校に行った」も意味がほぼ同じなので「ヘ・ニ交替」、「先生にもらった」「先生からもらった」も意味がほぼ同じなので「ニ・カラ交替」というように、純粋な統語上の交替現象がどんどん増えていってしまいます。もちろん、これらは同じ状況を表すときに使えますが、捉え方のレベルではやはり異なっていると考えるのが認知言語学なのです。

このように、表現が異なれば意味も異なるということは、一つの言語の中だけに限られたことではありません。例えば、wear＝「着る」ではないことはすでに第8章で検討しましたが、異なった言語間においても、形式が異なれば、つまり表現が異なれば意味も異なるという主張は成り立ちます。wear≠「着る」のように語が一対一の関係になっていないことは、言語による分節体系が生み出すカテゴリー化の現象です。言語は世界を分節する機能を持っています。そのため、言語ごとに世界の切り分け方の体系、つまり、カテゴリー化の体系が異なるということが生じます。先ほどの虹は何色かという問題もこの分節体系の問題ということになります。人間は、連続的な光のスペクトルをことばによって切り分け名前を付けています。例えば、日本語には「緑」と「青」という単語で区別している色がありますが、物理的世界には両者を区別する境界線はありません。実際、「緑」と「青」を区別しないヒンバ語（南西アフリカ）やベリンモ語（パプアニューギニア）のような言語もたくさんあるのです（cf. 今井 2010）。そのため、ヒンバ語のburou という単語やベリンモ語の nol という単語は、「青」と訳しても「緑」と訳しても正しくないということになります。burou や nol は日本語の「青」と「緑」の表す範囲を包括した語だからです。そしてもちろん、burou と nol も指し示す色の範囲は異なります。エスキモー語の雪の分類も同じです。雪の存在が生活に密接に関係しているエスキモーの社会では、雪を日本語よりも細かく分節しています。もちろん、このような分節の問題も大変興味深いのですが、以下では捉え方の問題に焦点を絞って掘り下げていきましょう。

11.4 　言語に埋め込まれた捉え方

　とりあえず、言語間に見られる分節体系の違いはわきに置いておくとして、ここでは、異なる言語に見られる捉え方の違いを見てみましょう。例えば、「ノート型パソコン」は英語で言うと laptop computer になります。指しているものは、英語で言おうが日本語で言おうが同じものなので、一見す

ると両者は同じ意味だと思うでしょう。ところが、繰り返しになりますが、表現が異なれば意味も異なるはずです。それでは、この場合、何が異なっているのでしょうか。もちろん、概念内容と捉え方は厳密には区別することはできませんが、概念内容のレベルで同じものを指していると考えると、異なっているのは捉え方ということになります。実際、日本語の場合には、パソコンの形状に注目してノートに似ているまたはノートのように持ち歩いて使うパソコンと捉えていますが、英語では、置く場所または使い方に注目して、laptop（膝の上）に置いて使うタイプのパソコンという捉え方をしています。このように、異なった捉え方をしている以上、やはり、両者は同じ意味とは言えないことになります。

　ちなみに、lap という語は厳密には「膝」ではありません。lap とは「座った時にできる胴体から膝までの水平な部分」を指しますが、「腿」と訳すこともできません。「腿」は thigh と言い、立っているか座っているかに関係なしに存在する身体部位ですが、lap は座った時だけに出現し、立っている時には存在しない身体の部位なのです[2]。これは、先ほど述べた分節体系が言語によって異なっているために起こる翻訳上の語彙欠落の問題です。

　捉え方の話に戻ると、他にも、「週休二日」を英語にすると five-day workweek になるなどの例も挙げられます。両者とも同じ概念内容を表していますが、その概念内容に対する捉え方が異なっています。日本語の場合は、週に2日休むと捉えていますが、英語の場合は、週に5日働くと捉えています。ここに見られるのは心理現象として知られている図と地の反転です。人間の視覚経験は均一ではなく、何かに注目して前景化するとそれ以外のものが背景化されて知覚されます。前者を図（figure）と呼び、後者を地（ground）と呼びますが、この図と地は絶対的なものではなく状況によっては当初図として知覚されていたものが地として知覚され、それに伴って、地として知覚されていたものが図として知覚されることがあります。これを図と地の反転と呼びます。例えば、「ルビンの盃」と呼ばれる図1を見てください。白い部分に注目すると盃が図として前景化され、それ以外の黒い部分は地として背景化されますが、逆に、黒い部分に注目すると向かい合った二

図1　ルビンの盃

つの顔が図として浮かび上がり、今度は白い部分が地として背景化されることになります。

　先ほどの「週休二日」と five-day workweek がちょうど図と地の関係になっているのがわかるでしょうか。他にわかりやすい例として、「関係者以外立ち入り禁止」とそれに対応する staff only という表現を見てみます。両者には同じ事象のどの部分に焦点を当てるかに関して図と地の反転が見られます。日本語の表現では関係者以外は入ってはいけないと言っているのに対し、英語の表現では関係者だけが入っていいと言っていますが、結局のところ、両者は同じ状況の異なった側面に焦点を当て言語化しているだけなのです。もちろん、図と地の反転は捉え方の違いということになります。そのため、上記のような簡単な表現でも、二つの言語は完全に同じ意味を表しているとは言えないのです。捉え方のレベルでは両者の意味は異なっているからです。さらに、先ほどの wear のように、ことばの分節体系の違いまで考慮に入れると、異なった言語間において完全な翻訳はほぼ不可能なように思えます。

　全く同様のことが文法レベルでも見られます。例えば、図2のような風景を日本語と英語で（1）のように表現したとします。一見すると、同じ状況を表しているため、両者は基本的に同じ意味を伝えていると考えられそうですが、厳密には、同じとはみなせません。

図2　風景

(1) a.　草原に牛がいる。

　　b.　There are cows in the field.

ここでは、名詞と動詞だけに着目して両者の違いを見てみます。日本語では、「牛」と表現しているだけで、牛が一頭なのか複数頭いるのかについては言及されていません。それに対し、英語の（1b）では、cows と複数形が用いられています[3]。これは英語では可算名詞である cow は必ず a cow か cows にして単数か複数かを表明しなければならないからです。英語では日本語のように cow が一頭なのか複数頭いるのかについて言及しないで表現することは不可能なのです。しかも、英語では、主語となる名詞の単複によって be 動詞の形が is になるか are になるかが決定されるため、二重の意味で、英語では単複の認識は不可欠ということになります。もちろん、日本語では単数か複数かに言及する必要はありません。一方、日本語で表現する場合は、対象が動物かどうかについて認識しなければなりません。日本語では、存在する対象が動物であるか否かで「いる」と「ある」を使い分けているからです[4]。もちろん、英語の存在動詞にはそのような区別はありませんので、英語では対象が動物であるか否かを認識する必要はありません。

　このような違いは、言語の分節体系の違いにも関係していますが、同じ状況の中に存在する複数の情報の中からどの情報を選び注目するか、つまり、

同じ状況をどのような観点から捉えるかという捉え方の問題が深く関わっています。上記の例との関連で言えば、ある場面に遭遇した時、日本語話者は対象が動物か否かに注目し、英語話者は単数か否かに注目する必要があるということです。にわかには信じられないかもしれませんが、少なくとも言語事実はそのように示しているのです。その上で、重要なのは、言語ごとに捉え方の慣習（convention）があるということです。そして、話者は世界をその言語の慣習に則った見方で認識しているということです。これがまさに言語が異なると世界の見方が異なるということにつながるわけです。

11.5 注意力の限界と習慣化

　もちろん、上記のように言うとすかさず、「でも、異なった捉え方が言語に埋め込まれているとしても、それを根拠に世界の見方が異なるというのは言いすぎじゃないか」という反論ができてきます。たしかに、ここまでの議論だけでしたら、世界の見方が異なるとまでは言えないでしょう。実際、言語が異なると世界の見方が異なると言うためには、もう少し人間の認知能力についての知識が必要です。そこで、以下では注意力（attention）の限界と習慣化について紹介します。次の図3を見てください。黒い点が所々にあると思いますが、黒丸を数えようとするときに不思議な現象が起こります。これは消失錯視（extinction illusion）と呼ばれる錯視で、錯視という現象を通して人間の注意の資源がいかに限られているかということと人間の脳はいかに足りない情報を補っているかということを端的に示してくれる現象です。この錯視では、本当は見えていない部分を脳が自動的に補う際に失敗するようにうまくコントロールされているため、そこにあるはずの黒丸が消えてしまいます。注目している黒丸以外の黒丸が消えてしまうのです。ここでの議論との関連で注目してほしいのは、普段は気がつきませんが、人間はおそらく1個か2個の黒丸しか同時に認識できていないということです。それほど人間の注意力は限られているということです。

　この現象は、簡単に言ってしまえば、人間の脳は複数の情報をいっぺんに

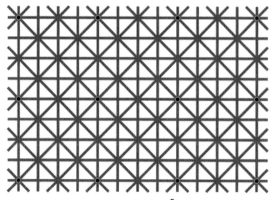
図3　消失錯視[5]

処理することが苦手だということを私たちに教えてくれます。そして、これによると、私たちは複数の捉え方をいっぺんにとることも苦手だということになるのです。実際、先ほどのルビンの盃（図1）を見てください。図と地の反転図形として有名なルビンの盃でも、盃を認識すると顔が認識されなくなり、顔を認識すると盃が認識されなくなるという現象が起こります。これを図と地の反転と言うのですが、重要なのは、何かに注目を向けるとそれ以外の部分が注意の焦点から外れて意識されなくなってしまうことです。

　第10章で紹介したウサギ・アヒルの例でも同じことが起こります。私たちにできるのは、ウサギ認識かアヒル認識のどちらかで、両方をいっぺんにというわけにはいかないのです。授業でこの話をすると、自分は両方いっぺんに認識していると主張する学生が必ず出てきますが、それは、二つの捉え方を頻繁に切り替えているだけであって、実際には、両立はしていないと考えられています。ちなみに、よくスマホの"ながら運転"が問題にされますが、心理学的に見た場合、スマホの操作と運転操作に同時に注意を向けることができるほど人間の注意力は優れていません。両方に同時に注意が払えているように見えているのは、実は、高速で注意を切り替えているためであり、実際には、スマホを操作しているときには、運転は上の空ということです。

このように、複数の捉え方を同時にとることはできないということは認めたとしても、だからと言って、言語によって世界の見え方が異なるというのはやはり言い過ぎではないかと思う人もいると思います。実際、上の消失錯視の図3でも、順番に見ていけば12個すべての黒丸を認識することはできるわけですし、ルビンの盃にしたって、ウサギ・アヒルの図にしたって、どちらか一方の捉え方しかできないわけではありません。

　たしかに、その通りです。ですので、他言語が描く異なった世界は絶対に垣間見ることができないという極端な主張には認知言語学者の多くも賛同しないでしょう。日本語が作った日本語ワールドに入るためには日本語を習得するしかない、英語が作った英語ワールドに入るためには英語を習得するしかないというのはさすがにちょっと極論ということです[6]。ただ、そうは言っても、それに近い状況はあるとも考えられます。なぜなら、言語内に埋め込まれている社会的慣習としての捉え方は、言語習得を通して次世代に引き継がれていきますが、そのような社会的慣習は日々の使用を通して個人の脳内に深く刻み込まれていくからです。

　当たり前のことですが、言語は毎日使います。技術の習得を目的とした練習をしたことがある人ならわかると思いますが、繰り返し行われる行為は習慣として学習されることになります。しかも、そのように繰り返し経験することで身についた習慣的知識は自動化された無自覚・無意識の知識となります。意識化することが難しい知識となるのです。捉え方は言語内に埋め込まれた社会的慣習ですが、ある言語を毎日使っていれば、その言語の捉え方で状況を見ることが習慣化されることになります。つまり、ある言語を母語として習得すると、その人は自動的に無意識のうちにその言語に埋め込まれた捉え方で世界を見るようになるのです。しかも、人間の注意の資源には制限がありますから、ある捉え方をするということは、他の捉え方を排除することになります。つまり、他の見方をしないように習慣づけられてしまうかもしれないのです。

　言語が異なると世界の見方が異なるというのは、言語の使用を通してある一定のものの見方で世界を見るようになるということであり、他の言語話者

がしているであろう他の捉え方では世界を見なくなるということです。もちろん、だからと言って、他の言語話者が見ているものが絶対に見えないというわけではありません。意識して見ようとすればおそらく見えるはずです。例えば、先ほどの（1）の例で言うと、日本語話者が牛の数に注意を払わないからと言って、牛が単数か複数かの区別がつかないというわけではありません。通常、数に関しては無頓着なだけで、必要とあれば意識を向けることはできます。同様に、日本語に lap に対応する語がないからと言って、座ったときにできる腿の平らな部分を認識できないことにはならないのです。ただ、それでも習慣というものは恐ろしいもので、一度、無視する習慣が身についてしまうと、他の言語の話者が当たり前のように見ている側面でもなかなか注意が向かなくなってしまうのです。

11.6 | 話すために考える

　一般に、私たちは、思考したことをことばにして表現すると考えています。つまり、思考が先、ことばが後ということです。もちろん、それはそうなのですが、実は、ことばにして表現するためには、その言語の捉え方で思考するという側面があることも否定できません。例えば、英語の場合、対象が複数なのか単数なのかを予め思考の段階で認識しておかないと困ることが生じます。先ほど（1）で説明したように、単数か複数かに関する認識を欠いた状態では英語にならないからです。同様に、日本語の場合は、対象が動物か否かを予め認識しておく必要があります。それをしておかないと「いる」を使うか「ある」を使うか決められないからです。スロービンはこのような状況を「話すために考える」（thinking for speaking）と呼んでいます（cf. Slobin 1996）。要するに、まっさらな状態で思考するのではなく、表現する言語に合わせた思考をする必要があるということです。

　もちろん、思考の段階で予めすべての言語に対応できるだけの情報量を集めておけばこの問題は解決できます。その情報の中から各言語の捉え方に則した情報を抜き出せばいいだけですから。しかしながら、世界には実に様々

な捉え方を内包した言語があります。単数か複数か、動物か否かだけでしたら何とかなるかもしれませんが、数えられるか数えられないか、既出か新出か、男性名詞か女性名詞か、動いているかじっとしているか、食べられるか食べられないか、捕れるか捕れないかなど、世界の言語は実に様々な観点から状況を捉えているのです。そのため、どんな言語でも表現できるように、予めあらゆる捉え方に関する情報を集めておくことは人間の注意力の限界の観点からも不可能なのです。仮にそのような限界がなかったとしても、あらゆる捉え方を常時しておく必要はないので、自分の言語には無関係な捉え方に関する情報は次第に集めないような思考の習慣が形成されていくでしょう。

　ここでは取り上げませんでしたが、ことばが思考に及ぼす影響にはもっと根深いものがあるケースが報告されています（cf. 今井 2010、Deutscher 2010）。例えば、グウグ・イミディル語（オーストラリア）などの「右」や「左」に相当する語彙を持たない言語の話者が示す方位定位能力（dead reckoning）などの存在を考えると、言語が思考に及ぼす影響は予想以上に大きいかもしれません[7]。

11.7 ｜ まとめ

　本章では、捉え方、注意の限界、習慣化というキーワードから、言語によって思考が形成される側面があることを見てきました。これは、「話すために考える」という考え方に繋がりますが、これに従うと、AI の機械学習も言語を通して捉え方を学習し、学習した言語の捉え方を通して状況を認識するという双方向の学習経路が重要であることを示唆していることになります。ただし、技術上の限界はあるにしても、原理的には AI には人間のような注意の限界がありませんので、それをどうデザインするかという問題はあると思います。忠実に人間の心の活動をシミュレーションすることを目指すのであれば、注意の限界を AI に設ける必要があります[8]。

　本章の議論で AI に関わっていることがもう一つあります。それは、機械翻訳に関する問題です。本書第 1 章ですでに述べましたが、AI を用いたコ

ミュニケーション支援ツールは劇的な進化を遂げています。翻訳ソフト、音声認識ソフト、音声読み上げソフトなどを駆使すれば、そもそもコミュニケーションのために外国語を学習する必要がなくなる日が来るかもしれないのです。実際、もうすでに社内での英語の使用を禁止し、コミュニケーションはもっぱら AI 自動翻訳を通じて行うと宣言している企業すらあります[9]。もちろん、それでも私は外国語を学習する意義が将来失われるとは思っていません。それは、本章で取り上げた「捉え方」の問題が異なった言語間には横たわっているからです。次の最終章では、言語間の捉え方の差異の観点から今後の英語教育の在り方について私見を述べてみたいと思います。

---

1 Ethnologue の調べでは7168言語（https://www.ethnologue.com/）、UNESCO の調べでは8324言語（https://en.wal.unesco.org/）であるとされています（2023年4月現在）。

2 *The Concise Oxford Dictionary* の第10版によると lap の意味は "the flat area between the waist and knees of a seated person" (s.v.lap) となっています。

3 厳密には、「牛」＝cow ではありません。英語の cow は雌牛を指し、雄牛（bull）とは区別されています。英語では「牛」は雄か雌かだけでなく、去勢されているか否か、子どもであるか、集合的に捉えるか、などの観点から ox, calf, cattle などと日本語よりも細かく分節されています。

4 「いる」と「ある」の区別については、もう少し複雑な事情が働いているようです（cf. 町田 2020a）。

5 北岡明佳氏の web サイトより（http://www.psy.ritsumei.ac.jp/~akitaoka/extinction.html）

6 現在では、サピア＝ウォーフの仮説を弱い解釈と強い解釈に分けて議論することが一般に行われています。多くの認知言語学者が採用している考え方は、言語は思考に影響を与えうるというサピア＝ウォーフの仮説の弱い解釈であり、言語が思考を決定づけるという強い解釈を支持している人は少ないと思います。

7 使用する語によって認識や記憶が影響を受けることは、以前から心理学の実験で示されていました（cf. Daniel 1972, Loftus and Palmer 1974）。他にも、Fausey, Long and Boroditsky (2009) などは、言語によって記憶が影響を受けることを明らかにしています。

8 実際、AI 研究においても注意（attention）は重要な関心事のようです（cf. Vaswani et al. 2017）。

9 Ledge ai「AI 翻訳のロゼッタ、全社員に「英語禁止令」発令「英語は本業の能力とは何の関係もない」」（2021年3月3日）（https://ledge.ai/rozetta-english/）

「象」について考えるな！

　ことばが思考に与える影響については心理学の立場から様々な研究がありますが（cf. Loftus and Palmer 1974）、レイコフはこの問題について概念メタファーやフレームの観点から発信を続けてきました（cf. Lakoff 2004）。

　これらの研究が正しいとすると、人間は事象そのものの内実ではなく、その事象をどのように表現するかに強く影響を受けることになります。例えば、9.3 節で扱った国の財政に関する議論も、「国債」という表現を使った時点で議論の方向性を予め決めてしまっている可能性があります。なぜなら、この「債」という語は借金に関するフレームを喚起しますので、それに続く推論がすべてこのフレームに支配されてしまうことになるからです。MMT 論者が「通貨発行権のある国は必要ならばお金を刷って返済できる」とか「国債は返済する必要がない」のような発言をすればするほど、反モラル的思想だといった強い反感を買うのは、「債」が喚起する借金フレームにある「借金は返済するもの」という知識と矛盾してしまうからだと考えられます。このため、MMT 論者に対しては、「詐欺師」「嘘つき」というモラル違反者に浴びせられる表現がよく使われるのです。

　MMT が主張していることは、明らかに、財政に関する概念メタファーまたはフレームの転換です。MMT 理論が主張しているのは、国債と呼ばれているものは、実は「借金」ではなく「通貨発行記録」のようなものだということです。詳しくは森永（2020: 142）に譲りますが、このようなパラダイムシフトに当たるほどの概念メタファーの転換は、ことばと思考の関係の根深さを浮き彫りにしているように思います。レイコフが「象について考えるな」と言われれば言われるほど象のイメージが浮かんでしまうのが人間の認知メカニズムだと述べているように（cf. Lakoff 2004）、「国債」という表現を使ってしまえば、どうしても借金のイメージから抜け出せなくなるのだとしたら、「国債」という表現自体を別の表現に置き換える必要がありそうです。

第12章

外国語教育に別解を

12.1 はじめに

　以前、高校で英語教師をしていた時のことです。生徒の一人から「先生、なんで英語の勉強をせなあかんの？」と聞かれたことがあります。「将来、海外旅行に行くかもしれないし、仕事で英語を使わなければならないかもしれないだろ。」と私が答えると、その生徒は「俺は海外旅行に行くつもりはないし、親父の跡を継ぐから仕事で英語を使う可能性もない。」と言い張り、私が「お前がそのつもりでも、外国人に話しかけられたらどうするんや？」と言うと、「そんなもん、日本に来ているんだから日本語で話しかけるのが礼儀やろ。」と生徒に開き直られてしまいました。

　実は、その当時の私を含めて、日本人の多くはなぜ英語を勉強しなければならないのかという問いに対して明確な答えを持っていないようです。もちろん、「これからのグローバル化社会では英語が必要だから」という漠然とした答えは持っているようです。実際、文部科学省も「子どもたちが21世紀を生き抜くためには、国際的共通語となっている英語のコミュニケーション能力を身に付けることが不可欠であり、このことは、子どもたちの自身の将来のためにも、我が国の一層の発展のためにも非常に重要な課題となっています」と述べています[1]。

　しかしながら、なぜグローバル化社会では英語のコミュニケーションが必要なのかと問い詰めていくとほとんどの人は思考停止状態になっているよう

です（cf. 施 2015）。たしかに、世界を股にかけるビジネスパーソンや政治家にとって英語コミュニケーション能力が必要だということならまだわかります（cf. 平泉・渡部 1995）。しかしながら、ごく普通の日本人が全員英語を学ばなければならないのかという問いに対する答えは決して自明ではないのです。大学受験のためという答えも高校生だけになら通じるかもしれません。しかしながら、それとて、なぜ大学受験に英語が課されるのかというさらなる問いを生み出すことになるだけです。そう考えると、先ほどの生徒の問いは思った以上に厄介な問いなのです。

　第 1 章で、AI の発達が英語教師の職を奪う可能性があることについて触れました。英語はコミュニケーションの道具であるという漠然とした認識を多くの日本人は持っていますが、英語を学ぶ意義が外国人と簡単なコミュニケーションをとることだけにあるのであれば、近い将来、AI による音声認識、機械翻訳、音声読み上げ等の技術の進歩に伴って英語学習の意義が失われることになるのは時間の問題です。最終章では、AI が変える外国語学習の意義と、それでも変わらない外国語学習の意義について認知文法の視点から考えてみたいと思います[2]。

12.2 | 英語教育に起こりつつある地殻変動

　日常的に英語を使わなくてはならない一定数の日本人がいることは認めますが、そのような人たちを除いた大多数の日本人は英語を使わずに日々暮らしています。もちろん、そのような大多数の英語を使わない日本人でも英語が必要な場面はあります。海外旅行に行った際や外国人観光客や在住の外国人と話さなければならない時などです。そのたびに、「学生時代にもっとちゃんと英語をやっておけばよかったな」などと思うわけですが、これらの機会が今後なくなるとしたらどうでしょう。それでも英語学習は必要でしょうか。問題なのは、膨大な時間と金と労力をかけて、やっとしどろもどろに英語でやり取りができるようになったにもかかわらず、日常生活では英語を使う機会がほとんどなく、やっとめぐって来た英語を使うチャンスにおいて

も、スマホを使えば日本語でコミュニケーションをとることができる時代になるということです。ご存じのとおり、今やスマホが一台あれば、簡単な会話なら外国人とコミュニケーションが取れる時代なのです。

　自動運転車が普及する未来を考えてみてください。最初は、自動運転を信用しない人が多いと思いますが、そのうち、生身の人間が運転する自動車の方が信用できないと思う人が多数を占めるようになるでしょう。そうなると、今度は、そもそも運転しないのに運転免許証は必要かという議論が起こります。少なくとも、10 万円以上かけて教習所に通い免許証を取得したにもかかわらず一度も自分で車を運転したことがないという人が出てくるころには、免許取得を簡略化、もしくは免許証そのものを廃止しようという動きが出てきて当然です。そしてこの話をコミュニケーション英語に当てはめて考えてみてください。最初は AI 翻訳を当てにしないところから始まりますが、しばらくすれば、自分の英語力より AI の方が確実性が高いということになるでしょう。そのころには、何のために苦労して英語を勉強しなければならないのかという議論になってくるはずです。

　実際、現在の音声認識技術は、もうすでに、ほとんどの日本人英語学習者の英語リスニング能力の上をいっています。コロナ禍でオンライン授業が主体になりましたが、私がリスニングの聞き取り課題をオンラインでやらせても、要領の良い（ずる賢い）学生はスマホの AI の音声認識ソフトを使って課題を提出してきます。しかも、困ったことに、ほとんどの場合、まじめに自力でやった学生よりもスマホのほうが正しく音声を認識できています。同様に、英文和訳の課題や英作文の課題も、DeepL や QuillBot など便利な AI サイトが無料で提供されていますのでもうほとんど成立しません[3]。さらに、追い打ちをかけたのが OpenAI 社が 2022 年 11 月に無料で提供を開始した ChatGPT です。これを用いれば、自由英作文や英文のレポート課題さえもあっという間にこなしてしまいます。もちろん、いつの時代にも学生のズルや不正はありますので、それらがより高度になっただけだという意見もありますが、問題の本質はそこではありません。学生の誠実さの問題以上に大きな問題をはらんでいるのです。それは、長期間努力を費やしてトレーニ

ングしてきた大学生の英語力より無料の web サイトやアプリのほうが実力が上だということなのです[4]。

　このような現状が意味しているのは、英語学習における費用対効果（コストパフォーマンス）のバランス関係が劇的に変わったということです。AI時代を迎えて英語学習の意義が劇的に変わったと言ってもいいでしょう。これまでは、英語を学習することにそれなりのうまみがありました。英語コミュニケーション能力を持つ人材が社会においてそれなりに必要とされてきたからです。ところが現在は、そのような能力が AI に代替されつつあります。AI があれば英語人材はもういらないという時代に入りつつあるのです。そして、このような時代に英語学習を必修としてすべての日本人に強要することは、無料の送迎バスが用意されているにもかかわらず、目的地まで徒歩で歩いて行けと命令しているような理不尽さがあります。しかも、その道のりは徒歩では辿り着ける見込みがほとんどないほど遠く険しいのです。その上、やっとの思いで目的地にたどり着けた一部の優秀な人材に対しても、なんのご褒美も与えられないことになりかねない。これでは、英語を努力して学ぶ意義が見えてきません。

　この問題は、英語をコミュニケーションの"道具"としてだけ捉えている限り克服できないでしょう。英語が単なる道具であるならば、AI がその道具の働きを無料で代行してくれるからです。コミュニケーション重視では、いつかは必ず、英語学習は不要という方向に向かうことになるはずです。もちろん、AI の不完全さや不正確さを衝いて反論することもできるでしょう[5]。ただし、その場合は、学習者の英語力が AI の英語力を凌いでいることが前提となります。しかしながら、現場で日々大学生の英語力（誤訳や聞き間違いなど）に触れている私の経験から言えることは、このハードルはかなり高いように思われます。

12.3 ｜ 外国語を学ぶ意義

　実は、冒頭の私と生徒のやり取りには続きがあります。英語を勉強する意

義について、そんなやり取りが生徒と私との間であったことを職員室で話していると、ベテランの英語教師がこんなことを言ったんです。「そんなもん、自分と違うことばを話す人が世界には大勢いる。そういうことを知るだけでも英語を学ぶ意味はあんねん。それだけで十分や。」これは一見投げやりな言葉のように聞こえますが、現場で長年英語を教えてきた教師の実感がこもっているだけに重みがあります。実は、コミュニケーション重視の英語教育観ではなかなか表に出ることがありませんでしたが、多くの英語教師は日々の授業の中ですでにあることに気づいていると思います。それは、英語には英語話者の心の持ち方や世界観が現れているということです。言語をコミュニケーションの道具としてだけしか見ない言語観では、このような大事な側面を見過ごしてしまっている可能性があるのです[6]。

　外国語を教えたり学んだりしていると、どうしても考えてみたくなることがあります。それは、日本語と外国語の発想の違いです。例えば、「英語で考える」と言いたい場合、*think with English と誤訳してしまう学生がいます。この場合、日本語の「英語で」の格助詞「で」は「ハサミで」などの表現からわかる通り「道具」を表しています。道具を表す前置詞の with を選んだその学生はこの日本語の発想に引きずられてしまったのでしょう。しかし実際は、think in English が正しく、with は用いられません。英語はコミュニケーションの"道具"であると日々強調している教師からしてみれば、with でも正解にしてあげたくなるところですが、残念なことに、英語という言語の中に埋め込まれている捉え方（construal）では、言語は「道具」ではなくむしろ「範囲」なのです。つまり、think in English は「英語という範囲の中で考える」ということを表しているのです。仮にその学生が論理的に考える傾向が強かった場合、その学生はなぜ with ではなく in なのかと詰め寄ってくるかもしれません。まして、日々、英語はコミュニケーションのための"道具"だと強調している場合は、答えに窮してしまいます。英語が道具なんだったら、with を使うはずですから。そのとき教師は、日本語ではたしかに言語を道具と捉えるが、英語では言語を範囲として捉える慣習があると説明するしかありません。これは、第10章で取り上げたウサギ・

アヒル問題と同じことです。つまり、言語を「道具」と捉えることも「範囲」と捉えることも両方とも可能であるが、この場合、英語では「範囲」として捉える慣習があり、日本語では「道具」として捉える慣習があるということなのです。まさに、日本語と英語の発想の違いです。このような発想の違いは英語を学習していると次から次へと目にすることになります。例えば、海にいる「ヒトデ」は英語では starfish と言いますが、この一例だけでも発想の違いが見て取れます。日本語話者はあの生き物に「人の手」を見るのに対し、英語話者は「星」を見るのです。しかも、日本語話者にとっては驚くべきことに、ヒトデは英語では fish（魚）の一種なのです。

　日本語と英語の発想の違いについては、もっと文化的な要素に起因しているものもあります。例えば、Who Moved My Cheese?（Spencer Johnson, G.P. Putnam's Sons）という長年世界的なベストセラーとなっている本があります。ここでのチーズとは、それぞれの人にとっての大切なものを表すメタファーですが、大切なものを失ったときにどう考えどう行動すべきかということを説いた本です。興味深いのは、この本の翻訳書のタイトルが『チーズはどこへ消えた？』（門田美鈴訳、扶桑社）となっていることです。直訳するならば、『誰が私のチーズを動かした？』とすべきです。もちろん、これは誤訳ではありません。このように意訳したのには、翻訳者の確かな意図があります。Who Moved My Cheese? という英語には英語的な発想が、『チーズはどこへ消えた？』には日本語的な発想がそれぞれ反映されているので

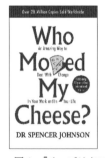 

図1　『チーズはどこへ消えた？』原書と翻訳書

す。

　英語的な発想では、何かが起こったということはそれを引き起こした要因があるはずだと考えます。世界を因果関係の連鎖として捉えるのです（cf. Langacker 1991 : 283）。そのような発想では、チーズが自然と消えることはなく、必ずその原因となる出来事、つまり、誰かがチーズを持ち去ったという発想になるわけです。ところが、日本語話者にとっては、何かが起こったとしても、それを引き起こした何らかの要因があるはずだとは考えなくてもよいのです。自然発生的に何かが起こることは日本語文化では普通のこととして了解されているのです（cf. 池上 1981）。そのため、誰かがチーズを持ち去ったと考えるよりは、チーズが自然に消えたと考える方が日本語らしい発想なのです。

　このように、私たちは外国語学習を通して、自分たちとは異なった発想をしている人たちがいることに思いを馳せることができます。このような知的な側面が外国語学習にはあるのです。AIにコミュニケーションの道具としての役割を取られたとしても、なお残るのがこのような側面なのです。そして、世界には異なった発想をする人々がいることを学生に伝えることがAI時代でも外国語教育を続けていくことの意義なのです。そして、このような見方においては英語だけをこれまでのように特別扱いする理由は見当たりません。英語に限らず、他の様々な言語を学ぶことがむしろ推奨されることになるからです。

　さらに重要なのは、海外に出て初めて日本の良さまたは悪さを客観視することができることがあるように、外国語を学ぶことによってはじめて、日本語という言語の発想の特徴に気づくことができます。そしてこのことは、外国語学習が自らを客体視し自己を冷静に見つめなおすというメタ認知能力の育成、知的訓練としてもまた重要な役割を担っていることを示しています。

12.4 ｜ AI翻訳の限界

　12.2節では、AIにコミュニケーションの道具としての言語の役割を任せ

ることができるなら、今後、英語教育の意義は失われてしまうのではないかと指摘しましたが、もちろん、これに対して、そもそも、コミュニケーションを任せるほど AI 翻訳の精度は高くないという反論もあると思います。たしかに、AI 翻訳の精度はまだまだです。しかも、第 9 章でも議論した通り、意味の根底にある膨大な一般常識や文脈、話し手の意図などの概念基層を共有できない AI には、(1) の「何色」を「なにいろ」と読むか「なんしょく」と読むかはわからないはずですし、英語に訳す際も、What color と訳すのか How many colors と訳すのかはわからないはずです。

 (1) a. りんごは<u>何色</u>ですか？
   b. 虹は<u>何色</u>ですか？

 もちろん、そのような問題は認めながらも、それでも、コミュニケーションの道具として用いる場合には、AI 翻訳の不完全性をそれほど心配する必要はないと考えます。なぜなら、実際のコミュニケーションの現場で行われているのは、言語的コミュニケーション（verbal communication）だけではないからです。当然、実際のコミュニケーションの現場では、非言語的コミュニケーション（non-verbal communication）も行われており、AI 翻訳の不完全性を非言語的コミュニケーションが十分に補ってくれるはずなのです。このことはまた、当の英語教育が「ブロークンでいいから」「文法なんて気にしないで」「身振り手振りで」などという言説でこれまでも強調してきたことです。つまり、実際のコミュニケーションの現場では、不完全でもなんとかなるのです。
 極端なことを言ってしまえば、言語的コミュニケーション自体、全くなくても大丈夫な場合すらあります。このことは、*Shaun the sheep*（邦題「ひつじのショーン」）というイギリスの番組が、番組として成立していること自体がすでに証明しています。この番組では、登場人物（動物）は一切ことばを発しません。つまり、このお話の中では、非言語的コミュニケーションだけですべてのコミュニケーションが成立しているのです。視聴者にとっても

それぞれの登場人物の意図は自明なほど理解できています。だからこそ、番組として成立しているのです。そしてそのように考えると、不完全な AI 翻訳を利用したとしても、ほとんど問題は起こらないと思います。

　ただし、だからと言って、私は AI 翻訳に全く問題がないとも思っていません。これは、AI 翻訳に限らず、そもそも、異なった言語間で完全な翻訳が可能であるのかという問題と深く関わっています。いわゆる翻訳可能性の問題です。そして、ここで強調しておきたいのは、認知文法の研究が示唆しているのは、ドラえもんの「ほんやくこんにゃく」のような完全な翻訳は、原理的に不可能であるということです。Starfish を「ヒトデ」と訳してしまえば、英語が本来持っている星のイメージや魚のイメージが失われてしまいます。英語が慣習化しているあの生き物に対する捉え方が消滅してしまうのです。重要なのは、もしそれが AI の技術的な欠陥だとしたら、いつかは翻訳可能性の問題は解決するかもしれませんが、これが原理的な問題である以上、将来にわたって絶対に解決されることはないということです。

　なぜそのように断言できるかと言うと、仮に認知文法の主張が正しいとすると、言語の意味には必ず話者の「捉え方」（construal）が含まれており、表現形式が異なれば捉え方も異なるからです。つまり、異なった言語間において表現形式がそれぞれ異なっている以上、捉え方も異なっているということです。そしてこのことは次のような事態が生じることを予測するのです。外国語を日本語に翻訳する際に、外国語の表現の捉え方を活かした訳にすると日本語として不自然な表現になってしまうことがある。かといって、日本語において自然な表現になるように意訳すると外国語の表現が本来持っていた捉え方が失われてしまう。例えば、先ほどの *Who Moved My Cheese?* を『誰が私のチーズを動かした？』と直訳してしまうと日本語として不自然となり、日本語として自然な表現になるように『チーズはどこへ消えた？』と意訳してしまうと、元の英語表現の持っていた英語のものの見方が失われてしまうということです。つまり、翻訳に関しては、原語の捉え方を残すのか、目標言語の捉え方に換えるのかという問題が必ず生じてしまうということです。

このように、原語の捉え方と目標言語の自然さはトレードオフの関係になっていると言ってもよいでしょう。英語教育界では悪名高い英文和訳問題において、直訳すべきか意訳すべきかで悩んだことがある読者もいると思いますが、この悩みは、実は、このトレードオフ関係が持っていたジレンマだったのです。そのように考えると、この直訳すべきが意訳すべきかで悩むこと自体が、外国語を学習しない限り決して気がつくことのできない深いレベルでの異文化理解トレーニングになっていたということになります。

　そして、このトレードオフの関係が翻訳には必ず存在することに気づかせることが、今後の外国語教育の存在意義になってくると思います。しかも、AIによってスムーズにコミュニケーションが取れるようになればなるほど、その存在意義は重くなっていきます。違和感のないきれいな翻訳は、多かれ少なかれ、相手のものの見方（＝捉え方）と自分のものの見方の違いを犠牲にすることの上に成り立っていることに気がつきづらくなるからです。

12.5 ｜ おわりに

　AIが発達した未来において、全員が膨大な時間と労力を費やして英会話を学ぶ必要はありません。もちろん、英語母語話者との会話を楽しむ、仕事で毎日英語を使うなどの理由や目的がある場合は別ですが、今のように、日本国民全員に必修として英語を学ばせる必要はないのです。このように考えると、大学の英語科目も今のまま必修として続けていく合理的な理由は、少なくともコミュニケーションを重視している限りにおいては、なくなると思います。

　これまでにも、英語教育に関する議論は官民を巻き込んでたくさんなされてきました。かつて平泉はコミュニケーション英語は本当にそれを必要とする一部のエリートだけが学べばよいと主張しました（cf. 平泉・渡部 1995）[7]。ところが、いま起こっていることは、これまでの議論を根底から覆す地殻変動なのです。平泉の主張を現代風にアレンジすると、コミュニケーション英語はAI通訳では満足できない一部の人間がいわば楽しみとして学べばよい

ということになるかもしれないのです。素直に、AI の実力を認め、これが今後どのように進化していくかを考えた場合、これまでの延長線上で必修コミュニケーション英語を語っても説得力を持ちません。新しい意義を外国語学習に認める必要があるのです。

　そこで、認知文法から英語教育に提案できるのは、言語表現を通して人間の認識の在り方を学ぶことをコミュニケーションに代わる英語教育の意義として掲げることです。実用志向から教養志向への回帰と言ってもいいかもしれません。実は、言語表現を通して認識の在り方を学ぶという態度は、日本の英語教育においては地下水脈のようにそれぞれの教師の中に脈々と引き継がれてきたはずです。認知言語学者が言えるのは、それを今後は堂々と表に出して構わないということです。これまでは、そのような説明をする先生は、「理屈に走っている」「コミュニケーションになっていない」と批判にさらされてきました。しかしながら、今後はそのような先生が主流にならなければ、そもそも英語教育の存在意義すら危ぶまれる時代になるのです。

　異なった言語における話者の捉え方の違いを知るということは、異文化理解という題目のもとに位置付けられると思います。しかしながら、これまでの異文化理解は英語という言語の中に語彙や文法として内在化された捉え方の違いについてはほとんど目を向けることはありませんでした。せいぜい、英語を使って異文化の人とコミュニケーションをとってみよう、外国人を招いて習慣の違いについて話し合ってみようといった程度の異文化理解です。しかし、このような異文化理解であるならば、AI 翻訳を最大限に利用すれば、もっと深まるはずです。少なくとも、拙い英語でやり取りするよりも、もっと深く相互に理解することができるようになるでしょう。ことばの壁がなくなるからです。

　これに対し、認知言語学が提案する異文化理解はもっと深いレベルでの認識の差異に目を向けることによって見えてくるものになります。しかもそれは、外国語学習を通すことなしには見ることができないものなのです。先ほど 12.3 節で述べた通り、捉え方の差異は AI 翻訳を通してしまうと消えてしまいます。表現の比較を通して初めて明らかになるものなのです。

もちろん、そんな細かい捉え方の差異など学んでも何の意味もないという意見もあると思います。実際、英語話者の捉え方と日本語話者の捉え方の差異を知らなくても実生活ではほとんど問題にはならないでしょう。しかしながら、捉え方の差異を知ることは、日本人の知的能力の向上に必ず寄与することになると思います。だからこそ、英語はこれまで通り必修であるべきなのです。例えば、下の図形のグレーの部分の面積を求めることを考えてみましょう。どのような計算を行うでしょうか。はじめに全体の正方形の面積（4×4＝16）を出して、そこから白い部分の面積（2×2＝4）を引いて、12という答えを出すというやり方が考えられます。他にはどうですか。もちろん、それ以外の解法もあります。（4×2）＋（2×2）＝12や、（2×2）×3＝12など、複数あります。もちろん、一つの解法だけを知っていれば事足ります。しかしながら、自分が用いた解法以外の解法があることに気がつくことも知的な訓練として大変重要な意味を持っています。

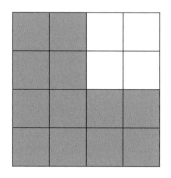

　外国語学習には、まさにこれと同じ意義があるのです。日本語しか知らなければ、表現したい内容を表す手段が他にあることに気づくことが難しくなります。日本語以外の言語を知ることによって、同じ内容を全く異なった視点で捉えている人たちがいることに気づくことができるようになるのです。もちろん、一つの解法だけ知っていればそれでよいという考え方もあるでしょう。しかし、グローバル化社会だからこそ、複数の別解があることに気づくことが重要なのです。だからこそ、英語はこれまで通り必修であるべきな

のです。

　本書では、AI 時代における理論言語学の在り方を認知文法の思考法を頼りに考察してきました。インターネットをはじめとする情報技術の発展は、人間社会の行動様式に大きな変革をもたらしました。その熱も冷めないうちに、次は AI による社会変革がもたらされようとしています。情報技術の発展は理論言語学にも大きな変革をもたらしました。コーパスの登場は理論言語学の方法論や思考法に変革をもたらしたのです。そして、次は AI です。ディープラーニングの登場は、理論言語学のいくつかの学派にとっては壊滅的な打撃を与えかねない凄まじいインパクトを持っています。膨大な情報の入力によって自ら学習する AI の登場は、言語を生得的な言語能力（competence）と実際の言語運用（performance）に分け、前者のみに注意を向けてきた言語学派にとっては、研究方法の抜本的な見直しを求めているからです。

　コーパスの登場以来、頻度情報が持つ重要性が徐々に明らかにされてきました（cf. Bybee 2006b, Taylor 2012）。どのような言語理論を構築するにせよ、少なくとも、頻度情報を適切に扱える理論が求められているのです。しかしながら、頻度情報を言語運用上の問題とする生成文法は、頻度情報はほとんど無視してきました。ところが、ディープラーニングがこの態度に変更を迫っているのです。ディープラーニングが一定程度人間の脳の認識学習メカニズムをシミュレーションしているとするならば、ディープラーニングが示しているのは、言語運用の重要性であり頻度情報の重要性です。このことは必然的に、頻度情報を利用する仕組みを組み込んだ理論を設計しなければならないということ意味します。そして、言語使用の現場における具体例の膨大な記憶によって文法も含む言語知識が立ち現れてくると考える認知文法の思考法は、おおむねディープラーニングと整合性を持っており、ともに、共進化していく関係にあると私は思います。

　しかも、AI はコミュニケーション重視の英語教育に対しても壊滅的な打撃を与える可能性があります。AI が言語間のコミュニケーション上の障壁を取り払いつつあるからです。もちろん、これについても、認知文法の思考法は英語教師にとっての救世主になる可能性があります。外国語学習の意義

が実用志向から教養志向に方向転換された暁には、強調されるべきは、機械翻訳で見落とされてしまう言語間の「捉え方」の差異であり、世界の認識の在り方に関する「別解」の存在だからです。その意味でも、認知文法の思考法は、AI 時代になくてはならない思考法なのです。

1 『「英語が使える日本人」の育成のための英語教員研修ガイドブック』（2003 年）の「まえがき」より。

2 本章に関連する議論は町田（2022a）を参照。

3 DeepL は AI 翻訳サイト（https://www.deepl.com/ja/translator）、QuillBot は複数のパラフレーズを提供してくれる AI です（https://quillbot.com/）。

4 もうすでに、英語教育に限らず、教育一般に関して AI を用いた学生・生徒・児童の不正が世界中で問題になりつつあります。AI の使用を禁止すべきだという意見がある一方で、教育で AI を積極的に活用すべきだという議論もあります。（cf. *The New York Times*, Don't Ban ChatGPT in Schools. Teach With It.（2023 年 1 月 12 日）（https://www.nytimes.com>chatgpt-schools-teachers））

5 実際、酒井（2022）や藤田（2023）では機械翻訳の不備が指摘されています。

6 ことばを道具としてだけ捉えることの問題点は納富（2020）を参照。

7 この平泉の主張は差別的な主張に聞こえますが、コミュニケーション英語を習得するために必要な途方もない努力と時間を考えるとこの主張にまったく理がないわけではありません。

精読とスキミング

　英文を読むときには二つの読み方があります。きちんと文法や論理展開を追って英文の意味を正確に読み取る読み方（精読）とスキミングやスキャニングなどのテクニックを使ってキーワードを追っていき全体の意味を推理する読み方（速読）です。後者を使って英文の主旨を素早く推論する能力がコミュニケーションでは求められるという考え方もありますが、今後はむしろ前者の読み方のほうに英語教育の存在意義が見出されるかもしれません。

　キーワードから文全体の主旨を推理するというのは、実は、かなり以前から AI 研究で盛んに行われていました。例えば、Apple 社の製品に組み込まれている Siri というプログラムは、簡単で常識的な質問にはかなりの精度で答えてくれます。もちろん、この Siri も完璧ではありません。常識はずれなことや複雑なことを聞くと途端にうまくいかなくなってしまうのです。例えば、「おいしいレストランを教えて」と聞いても「まずいレストランを教えて」と聞いても、Siri からは同じ返事が返ってくるというのは有名な話です。このようなことが起こるのは、Siri が文法や論理展開や意味を考えず、聞こえてきたキーワードだけを頼りにもっともありそうな推論を行っているからです。そして、スキミングやスキャニングを使ったこれまでの英語教育では、キーワードを頼りに文意を想像するという Siri と同じ思考回路を学習者に推奨してきたことになります。

　コミュニケーション重視という号令の下、いつしか日本では精読が持つ知的能力の鍛錬という側面は背景化されてきました。しかしながら、今後は、精読によって知性が磨かれるという側面にもっと光が当てられてもよいと思います。Siri が端的に示しているように、AI は精読が苦手です。なぜなら、それこそまさに真の人間の知性を必要とする作業だからです。精読による英語教育は、AI に代替されない人間らしい本物の知性を育成する場として今後重要な役割を担うことになるかもしれません。

あとがき

　オワコンという言葉をご存じでしょうか？　一説には「終わったコンテンツ」の略だということですが、要するに、時代遅れで用済みのアイディアや商品といったところでしょうか。「ネット動画の出現によってテレビがオワコンになった」のように使います。近年の科学技術の進展は加速度的に増大しており、驚くほどのスピードで実に多くのものをオワコンに追いやっています。

　本書でお話ししたかったのは、要するに、これまでの発想では、AI の登場によって理論言語学と英語教育はオワコンになってしまうかもしれないということです。もちろん、言語をよく知っている人から見れば、AI が産出する表現や理解する表現はまだまだであり、当分、人間言語には追いつきそうにありません。でも、AI は着実に理論言語学の突きつける課題をクリアし、私たち言語学者の存在を脅かす存在になりつつあります。特に、言語に潜む形式的な規則や原理を発見することを目的としている場合は大変厳しいと思います。AI は膨大なデータの中からパターンを抽出（発見）することに長けていますから、仕事が競合してしまうのです。実際、大量の事例からゲームのルールを自ら発見することができる MuZero という AI がすでにあるわけですから、大量の表現の中からルール（文法）を発見する AI ができる可能性はあるはずです。現に、大規模言語モデルがかなりの精度で表現を生成しているところを見ると、もうすでに AI が多くの文法を発見している可能性は否定できません。

　理論言語学ならまだしも、さすがに、英語教育はオワコンにはならないと思っている人も多いと思います。グローバル化に直面した今、日本人の英語教育は最優先課題であり、英語教育が時代遅れになるなんて想像もつきませんから。しかしながら、同時通訳を可能とするツールがどんどん改良され、

社内での英語の使用を禁止する企業が現れているのも事実です。拙い英語で浅はかな議論をするより、AI機器を利用しお互い母語を用いて深い議論をする方がよいという企業の判断です。

　経済では費用対効果という言葉がよく聞かれます。これまでは、将来に得られる利益と英語学習にかける時間と労力とお金を天秤にかけた場合、英語を学習する価値を見出すことができるケースが多々ありました。しかしながら、これからの時代、英語学習に膨大な時間と労力とお金をかけるだけの価値があるか不透明になりつつあります。それにもまして重要なのは、英語学習によって失われる機会（機会費用）についても思いを巡らせることです。一般に人は、この機会費用について考えるのが苦手なのですが、それでも、一度立ち止まって冷静に考えてみる必要があります。今、日本という社会が英語習得に費やしている費用（時間、労力、お金）を何か別の事柄の習得に振り向けたらどれだけの効果が上がるのか。英語学習によってどれだけの機会を失ってきたのか。このように費用対効果、機会費用の観点から見た場合、今のようにコミュニケーションだけに英語学習の価値を置きつづけることは難しいと思います。つまり、コミュニケーション"だけ"を考えるのであれば、英語教育はオワコン一直線なのです。

　実は、本書執筆が最終段階に入った頃、ChatGPTが職業や産業に与えるインパクトに関する研究が発表されました（cf. Felten et al. 2023）。それによると、ChatGPTなどの大規模言語モデルに最も晒される職業としてEnglish language and literature teachers と foreign language and literature teachers がそれぞれ2位と3位にランクインしています[1]。ここで言う「晒される」（exposed）とは、プラスの影響を受けるかマイナスの影響を受けるかは不透明な状況だが確実に影響を受けるという意味合いで用いられていますので英語教師が「不要になる」という意味ではありません[2]。実際、本書でも考察したように、英語教育は不要になるのではなく変革を迫られているのです。

　本書では、AIがもたらす地殻変動が理論言語学者にどんな変革を迫るのか、そして、多くの理論言語学者の仮（真？）の姿である語学教師にどんな

変革を迫るのかについて考察してきました。そして、それに対する答えを認知言語学、特に、認知文法の考え方をもとに考えてみました。

　最後に、コロナ禍という未曽有の状況に直面し執筆が滞ってしまったことに関してお詫び申し上げます。出版を楽しみにしてくださった方々、特に、ひつじ書房の森脇さんには大変ご迷惑をおかけしました。また、ひつじ書房には、AIの素人である私にこのようなエッセイを寄せる機会を与えていただきましたことに心から感謝の意を表したいと思います。ありがとうございました。

1　ここで言う English language and literature teachers とは、日本でいうところの国語の教師に当たると思いますが、英語の教師であることには変わりありません。
2　例えば、AI を問題作りや作文の採点等に積極的に活用する可能性が指摘されていますし、AI を会話練習の相手として活用することも検討されています。これらは、語学教師の仕事内容に少なからぬ影響を与えることになるでしょう。

参考文献

Barlow, Michael and Suzanne Kemmer（1999）*Usage Based Models of Language*, CLSI, Stanford.

Barnden, John A.（2006）Artificial Intelligence, Figurative Language and Cognitive Linguistics, in Kristiansen, Gitte, Michel Achard, René Dirven and Francisco J. Ruiz de Mendoza Ibáñez（eds.）, *Cognitive Linguistics: Current Applications and Future Perspectives*, Mouton de Gruyter, Berlin, 431–459.

Bolinger, Dwight（1975）On the Passive in English, *LACUS*,1, 57–80.

Bybee, Joan（2006a）From Usage to Grammar: The Mind's Response to Repetition, *Language*, 82（4）, 711–733.

Bybee, Joan（2006b）*Frequency of Use and the Organization of Language*, Oxford University Press. Oxford.

Chomsky, Noam（1959）Reviews: Verbal Behavior, *Language* 35（1）, 26–58.

Chomsky, Noam（1980）*Rules and Representations*, Columbia University Press, New York.（ノーム・チョムスキー『ことばと認識』井上和子（他訳）、大修館書店）

Chomsky, Noam（1986）*Knowledge of Language: Its Nature, Origin, and Use*, Praeger, Berlin.

Chomsky, Noam, Ian Roberts and Jeffrey Watumull（2023）Noam Chomsky: The False Promise of ChatGPT, *The New York Times*, March 8（https://www.nytimes.com/2023/03/08/opinion/noam-chomsky-chatgpt-ai.html）

Chowdhery, Aakanksha et al.（2022）PaLM: Scaling Language Modeling with Pathways, *arXiv*: 2204.02311v5（https://doi.org/10.48550/arXiv.2204.02311）.

Corballis, Michael C.（2002）*From Hand to Mouth*, Princeton University Press, Princeton.（マイケル・コーバリス『言葉は身振りから進化した』大久保街亜（訳）、勁草書房）

Daniel, Terry C.（1972）Nature of the Effect of Verbal Labels on Recognition Memory for Form, *Journal of Experimental Psychology*, 96, 152–157.

Deacon, Terrence W.（1997）*The Symbolic Species*, W. W. Norton, New York.（『ヒトはいかにして人となったか』金子隆芳（訳）、新曜社）

Deane, Paul D.（1991）Limits to Attention: A Cognitive Theory of Island Constraints, *Cognitive Linguistics*, 2, 1–63.

Deutscher, Guy（2010）*Through the Language Glass*, Picador, New York.（ガイ・ドイッチャー『言語が違えば、世界も違って見えるわけ』椋田直子（訳）、インターシフト）

Dixon, R. M. W.（2016）*Are Some Languages Better than Others?*, Oxford University Press, Oxford.

Everett, Daniel L.（2008）*Don't sleep, There are Snakes*, Vintage Books, New York.（ダニ

エル・エヴェレット『ピダハン』屋代通子（訳）、みすず書房）

Everett, Daniel L. (2017) *How Language Began*, Liveright Publishing, London. （ダニエル・エヴェレット『言語の起源』松浦俊輔（訳）、白揚社）

Fauconnier, Gilles and Mark Turner (2002) *The Way We Think*, Basic Books, New York.

Fausey, Caitlin M., Bria L. Long and Lera Boroditsky (2009) The Role of Language in Eye-witness Memory: Remembering who Did it in English and Japanese, *Proceedings of the Annual Meeting of the Cognitive Science Society*, 31, 2426–2431.

Felten, Edward W., Manav Raj and Robert Seamans (2023) How will Language Modelers like ChatGPT Affect Occupations and Industries?, arXiv: 2303.01157v2 (https://arxiv.org/abs/2303.01157).

Fillmore, Charles (1982) Frame Semantics, in Linguistic Society of Korea (eds.) *Linguistics in the Morning Calm*, Hanshin, Seoul, 111–137.

Frey, Carl Benedikt and Michael A. Osborne (2017) The Future of Employment: How Susceptible are Jobs to Computerisation?, *Technological Forecasting and Social Change*, 114, 254–280.

Gallese, Vittorio and George Lakoff (2005) The Brain's Concepts: The Role of the Sensory-Motor System in Conceptual Knowledge, *Cognitive Neuropsychology*, 22, 455–479.

Golden, Ryan, Jean Erik Delanois, Pavel Sanda and Maxim Bazhenov (2022) Sleep Prevents Catastrophic Forgetting in Spiking Neural Networks by Forming a Joint Synaptic Weight Representation, *PLOS Computational Biology*. (https://doi.org/10.1371/journal.pcbi.1010628)

Haiman, John (1980) Dictionaries and Encyclopedias, *Lingua*, 50, 329–357.

Harlow, Ray (1998) Some Languages are Just Not Good Enough, in Bauer, Laurie and Peter Trudgill (eds.), *Language Myths*, Penguin Books, London, 9–14. （ローリー・バウワー、ピーター・トラッドギル（編）『言語学的に言えば…』町田健（監訳）、研究社）

Harnad, Stevan (1990) The Symbol Grounding Problem, *Physica D*, 42, 335–346.

Hong, Wenyi, Ming Ding, Wendi Zheng, Xinghan Liu, Jie Tang (2022) CogVideo: Large-scale Pretraining for Text-to-Video Generation via Transformers, arXiv: 2205.15868v1 (https://arxiv.org/abs/2205.15868).

Iacoboni, Marco (2009) *Mirroring People*, Picador, New York. （マルコ・イアコボーニ『ミラーニューロンの発見』塩原通緒（訳）、ハヤカワ新書）

Kajita, Masaru (1997) Some foundational postulates for the dynamic theories of language, in Ukaji, Masatomo, Masaru Kajita, Toshio Nakao and Shuji Chiba (eds.), *Studies in English linguistics*, Taishukan, Tokyo, 378–393.

Kay, Paul and Charles Fillmore (1999) Grammatical Constructions and Linguistic Generalizations: The What's X Doing Y? Construction, *Language*, 75 (1), 1–33.

Krashen, Stephen (1982) *Principles and Practice in Second Language Acquisition*, Pergamon Press, Oxford.

Krug, Manfred (2000) *Emerging English Modals*, Mouton de Gruyter, Berlin.

Kuhn, Thomas S. (1962) *The Structure of Scientific Revolution*, The University of Chicago

Press, Chicago.（トマス・クーン『科学革命の構造』中山茂（訳）、みすず書房）

Lakoff, George（1987）*Women, Fire and Dangerous Things*, University of Chicago Press, Chicago.（ジョージ・レイコフ『認知意味論』池上嘉彦・河上誓作（他訳）、紀伊國屋書店）

Lakoff, George（1996）*Moral Politics*, University of Chicago Press, Chicago.（ジョージ・レイコフ『比喩によるモラルと政治』小林良彰・鍋島弘治朗（訳）、木鐸社）

Lakoff, George（2004）*Don't Think of an Elephant!*, Chelsea Green Publishing, Hartford.

Lakoff, George and Mark Johnson（1980）*Metaphors We Live By*, University of Chicago Press, Chicago.（ジョージ・レイコフ、マーク・ジョンソン『レトリックと人生』渡部昇一・楠瀬淳三・下谷和幸（訳）、大修館書店）

Lakoff, George and Mark Johnson（1999）*Philosophy in the Flesh*, Basic Books.（ジョージ・レイコフ、マーク・ジョンソン『肉中の哲学』計見一雄（訳）、哲学書房）

Langacker, Ronald W.（1987）Nouns and Verbs, *Language*, 63, 53–94.

Langacker, Ronald W.（1990）*Concept, Image and Symbol*, Mouton de Gruyter, Berlin.

Langacker, Ronald W.（1991）*Foundations of Cognitive Grammar vol. 2*, Stanford University Press, Stanford.

Langacker, Ronald W.（1999a）*Grammar and Conceptualization*, Mouton de Gruyter, Berlin.

Langacker, Ronald W.（1999b）Virtual Reality, *Studies in the Linguistic Sciences*, 29, 77–103.

Langacker, Ronald W.（2008）*Cognitive Grammar*, Oxford University Press, Oxford.（ロナルド・ラネカー『認知文法論序説』山梨正明（監訳）研究社）

Langacker, Ronald W.（2010）Day After Day After Day, Parrill, Fey, Vera Tobin and Mark Turner（eds.）, *Meaning, Form, and Body*, CSLI Publications, Stanford, 149–164.

Langacker, Ronald W.（2016）Toward an Integrated View of Structure, Processing, and Discourse, in Drożdż, Grzegorz（ed.）, *Studies in Lexicogrammar*, John Benjamins, Amsterdam, 23–53.

Langacker, Ronald W.（2017）*Ten Lectures on the Elaboration of Cognitive Grammar*, Brill, Leiden.

Loftus, Elizabeth F. and John C. Palmer（1974）Reconstruction of Automobile Destruction: An Example of the Interaction between Language and Memory, *Journal of Verbal Learning and Verbal Behavior*, 13, 585–589.

Massey, Irving（2021）A New Turing Test: Metaphor vs. Nonsense, *AI & Society*, 36, 677–684.

Matsumoto, Yo（1996）Subjective-Change Expressions in Japanese and Their Cognitive and Linguistic Bases, in Fauconnier, G. and E. Sweetser（eds.）, *Spaces, World and Grammar*, University of Chicago Press, Chicago, 124–156.

Mauro, Manassi and David Whitney（2022）Illusion of visual stability through active perceptual serial dependence, *Science Advances* 8.

Minsky, Marvin（1975）A Framework for representing Knowledge, in Winston Patrick. H.（ed.）*The Psychology of Computer Vision*, McGraw-Hill, New York, 211–277.

Phillipson, Robert (1992) *Linguistic Imperialism*, Oxford University Press, Oxford. (ロバート・フィリプソン『英語帝国主義』平田雅博（他訳）、三元社)

Popper, Karl (1959) *The Logic of Scientific Discovery*, Routledge, London. (カール・ポパー『科学的発見の論理（上・下）』大内義一・森博（訳）恒星社厚生閣)

Quine, Willard. V. O. (1960) *Word and Object*, The MIT Press, Cambridge Mass. (W. V. O クワイン『ことばと対象』大出晁・宮館恵（訳）、勁草書房)

Quirk, Randolph, Sidney Greenbaum, Geoffrey Leech and Jan Svartvik (1985) *A Comprehensive Grammar of the English Language*, Longman, London.

Radford, Andrew (1981) *Transformational Syntax*, Cambridge University Press, Cambridge.

Schrittwieser, Julian, Ioannis Antonoglou, Thomas Hubert, Karen Simonyan, Laurent Sifre, Simon Schmitt, Arthur Guez, Edward Lockhart, Demis Hassabis, Thore Graepel, Timothy Lillicrap and David Silve (2020) Mastering Atari, Go, chess and shogi by planning with a learned model, *Nature*, 588, 604–609.

Simon, Herbert A. (1991) The Architecture of Complexity, in Klir, George I. (ed.), *Facets of Systems Science*, Springer, New Yok, 457–476.

Sinclair, John (1991) *Corpus, Concordance, Collocation*, Oxford University Press, Oxford.

Slobin, Dan (1996) From "Thought and Language" to "Thinking for Speaking" in Gumperz, John J. and Stephen C. Levinson (eds.), *Rethinking Linguistic Relativity*, Cambridge University Press, Cambridge, 70–96.

Suzuki, Toshitaka N. (2021) Animal Linguistics: Exploring Referentiality and Compositionality in Bird Calls, *Ecological Research*, 36, 221–231.

Talmy, Leonard (1978) Figure and Ground in Complex Sentences, in Greenberg, Joseph H. (ed.) *Universals of Human Language vol. 4: Syntax*, Stanford University Press, Stanford, 625–649.

Talmy, Leonard (1996) The Windowing of Attention in Language, in Shibatani, Masayoshi and Sandra A. Thompson (eds.), *Grammatical Constructions*, Oxford University Press, Oxford, 235–287.

Taylor, John R. (1998) Syntactic Constructions as Prototype Categories, in Tomasello, Michael (ed.), *The New Psychology of Language*, Lawrence Erlbaum Associates, Mahwah, 177–202.

Taylor, John R. (2003) *Linguistic Categorization* 3rd ed, Oxford University Press, Oxford. (ジョン・R. テイラー『認知言語学のための14章 第三版』辻幸夫・鍋島弘治朗・篠原俊吾・菅井三実（訳）、紀伊國屋書店)

Taylor, John R. (2012) *The Mental Lexicon*, Oxford University Press, Oxford. (ジョン・R. テイラー『メンタル・コーパス』西村義樹・平沢慎也・長谷川明香・大堀壽夫（編訳）、くろしお出版)

Tomasello, Michael (1999) *The Cultural Origins of Human Cognition*, Harvard University Press, Cambridge Mass. (マイケル・トマセロ『心とことばの起源を探る』大堀壽夫・中澤恒子・西村義樹・本多啓（訳）、勁草書房)

Tomasello, Michael (2003) *Constructing a Language*, Harvard University Press, Cambridge Mass.（マイケル・トマセロ『ことばをつくる』辻幸夫（他訳）、慶應義塾大学出版会）

Tomasello, Michael (2008) *Origins of Human Communication*, The MIT Press, Cambridge Mass.（マイケル・トマセロ『コミュニケーションの起源を探る』松井智子・岩田彩志（訳）、勁草書房）

Tomasello, Michael (2014) *A Natural History of Human Thinking*, Harvard University Press, Cambridge Mass.（マイケル・トマセロ『思考の自然誌』橋彌和秀（訳）、勁草書房）

van Hoek, Karen (1997) *Anaphora and Conceptual Structure*, The University of Chicago Press, Chicago.

Vaswani, Ashish, Noam Shazeer, Niki Parmar, Jakob Uszkoreit, Llion Jones, Aidan N. Gomez, Lukasz Kaiser, Illia Polosukhin (2017) Attention Is All You Need, *arXiv*: 1706.03762v5 (https://doi.org/10.48550/arXiv.1706.03762).

Watanabe, E., A. Kitaoka, K. Sakamoto, M. Yasugi and K. Tanaka (2018) Illusory Motion Reproduced by Deep Neural Networks Trained for Prediction, *Frontiers in Psychology* 15, 1–12.

Zhang, Han, Tao Xu, Hongsheng Li, Shaoting Zhang, Xiaogang Wang, Xiaolei Huang, Dimitris Metaxas (2017) StackGAN: Text to Photo-realistic Image Synthesis with Stacked Generative Adversarial Networks, *2017 IEEE International Conference on Computer Vision (ICCV)*, 5907–5915.

合原一幸（2022）「数理工学の方法」、酒井（2022）、28–36.

安宅和人（2017）「知性の核心は知覚にある」*Harvard Business Review*, 2017 年 5 月号、ダイヤモンド社、28–45.

新井紀子（2018）『AI vs. 教科書が読めない子どもたち』東洋経済新聞社.

池内正幸（2010）『ひとのことばの起源と進化』開拓社.

池上嘉彦（1981）『「する」と「なる」の言語学』大修館書店.

池上嘉彦（2000）『「日本語論」への招待』講談社.

今井むつみ（2010）『ことばと思考』岩波新書.

碓井智子・田村幸誠・安原和也（2021）『認知言語学の基礎』くろしお出版.

内田義彦（1985）『読書と社会科学』岩波新書.

大堀壽夫（2002）『認知言語学』東京大学出版会.

岡ノ谷一夫（2010）『さえずり言語起源論』岩波書店.

河上誓作（編著）(1996)『認知言語学の基礎』研究社.

川添愛（2017）『働きたくないイタチと言葉がわかるロボット―人工知能から考える「人と言葉」』朝日出版社.

黒田航（2007/2012）「徹底した用法基盤主義の下での文法獲得」、『言語』11 月号、大修館書店（『『言語』セレクション第 2 巻』、322–327 に再録）.

黒田成幸（2005）『日本語からみた生成文法』岩波書店.

児玉一宏・谷口一美・深田智（2020）『はじめて学ぶ認知言語学』ミネルヴァ書房.

酒井邦嘉（編著）（2022）『脳と AI―言語と思考へのアプローチ』中央公論新社.

篠原和子・宇野良子（編）（2021）『実験認知言語学の深化』ひつじ書房.

柴田美紀（責任編集）（2020）『ことばの不思議の国』丸善出版.

鈴木孝夫（1973）『ことばと文化』岩波新書.

鈴木孝夫（1990）『日本語と外国語』岩波新書.

施光恒（2015）『英語化は愚民化』集英社新書.

髙橋英光・野村益寛・森雄一（編）（2018）『認知言語学とは何か？』くろしお出版.

髙見健一（1995）『機能的構文論による日英語比較』くろしお出版.

チョムスキー、ノーム（2003）『言語と認知』加藤泰彦・加藤ナツ子（訳）、秀明書房.

チョムスキー、ノーム（2015）『我々はどのような生き物なのか』福井直樹・辻子美保子（編訳）、岩波書店.

辻幸夫（編）（2003）『認知言語学への招待』大修館書店.

中野清治（2014）『英語の法助動詞』開拓社.

中村捷・金子義明・菊池朗（1989）『生成文法の基礎』研究社.

鍋島弘治朗（2020）『認知言語学の大冒険』開拓社.

納富信留（2020）「ことばの在り方」東京大学文学部広報委員会（編）『ことばの危機』集英社新書、117–148.

野村益寛（2002）「液体としての言葉―日本語におけるコミュニケーションのメタファー化をめぐって」大堀壽夫（編）『認知言語学Ⅱ：カテゴリー化』東京大学出版会、37–57.

野村泰幸（2004）『プラトンと考えることばの獲得』くろしお出版.

原口庄輔・中村捷・金子義明（編）（2016）『（増補版）チョムスキー理論辞典』研究社.

原倫太郎・原游（2006）『匂いをかがれる かぐや姫～日本昔話 Remix～』マガジンハウス.

平泉渉・渡部昇一（1995）『英語教育大論争』文春文庫.

福井直樹（2012）『新・自然科学としての言語学』ちくま学芸文庫.

藤田耕司（2023）「言語進化学から見た生成文法」上智大学言語学講演会（2023年2月18日配布資料）.

藤田耕司・岡ノ谷一夫（編）（2012）『進化言語学の構築』ひつじ書房.

町田章（2015）「ことばの意味と認知」山田純・吉田光演（責任編集）『ミスコミュニケーション』丸善出版、17–50.

町田章（2020a）「切っても切れないことばと心」、柴田（2020）、57–76.

町田章（2020b）「ことばを通して世界を見れば」、柴田（2020）、77–94.

町田章（2022a）「認知言語学と「捉え方」―英語教育への提案―」菅井三実・八木橋宏勇（編）『認知言語学の未来に向けて』開拓社、203–214.

町田章（2022b）「意味研究に突破口を開く―認知言語学者がAI研究に期待するもの―」『日本英文学会第94回大会 Proceedings』（web版）。(https://www.elsj.org/backnumber/proceedings2022/proceedings-2022-machidaakira.pdf)

町田章（近刊）「認知文法とメタファー―be going to の分析を通して―」『メタファー研究』3、ひつじ書房.

松尾豊（2015）『人工知能は人間を超えるか』KADOKAWA.

松尾豊（2019）『超AI入門』NHK出版.

森永康平（2020）『MMT が日本を救う』宝島社.
文部科学省（2003）『「英語が使える日本人」の育成のための英語教員研修ガイドブック』
　　文部科学省.
山梨正明（2000）『認知言語学原理』くろしお出版.

【著者紹介】

町田章（まちだ あきら）

［略歴］1970年群馬県生まれ。青山学院大学大学院文学研究科英米
文学専攻修了（修士（文学））、大阪大学大学院文学研究科文化
表象論専攻博士後期課程単位取得退学。長野県短期大学准教授
を経て、現在、広島大学大学院人間社会科学研究科准教授。

［主な著書・論文］『認知統語論』（共著、くろしお出版、2022）、
『ことばの不思議の国』（共著、丸善出版、2020）、*Thinking for
Writing*（単著、音羽書房鶴見書店、2019）、"Objectification
and Diffusion of Subjective Elements: Toward a Unified View of
(Inter)subjectivity"（『認知言語学研究』7号、2022）、「事態把
握様式における他者―認知文法から見た2つの間主観性」（*JELS*
36、2020）、「日本語間接受身文の被害性はどこから来るのか？
―英語バイアスからの脱却を目指して」（*JCLA* 17、2017）

AI時代に言語学の存在の意味はあるのか？
認知文法の思考法
Is Linguistics Necessary in the Age of AI?: From a Cognitive Grammar Point of View
Machida Akira

発行	2023年9月8日　初版1刷
定価	2200円＋税
著者	© 町田章
発行者	松本功
装丁者	村上真里奈
印刷・製本所	株式会社 精興社
発行所	株式会社 ひつじ書房
	〒112-0011 東京都文京区千石2-1-2　大和ビル2F
	Tel.03-5319-4916 Fax.03-5319-4917
	郵便振替 00120-8-142852
	toiawase@hituzi.co.jp　https://www.hituzi.co.jp/

ISBN978-4-8234-1207-3　C0080

刊行書籍のご案内

開国前夜、日欧をつないだのは漢字だった
東西交流と日本語との出会い
小川誉子美著　定価 2,700 円＋税

イン／ポライトネス
からまる善意と悪意
滝浦真人・椎名美智編　定価 3,400 円＋税

小説の描写と技巧
言葉への認知的アプローチ
山梨正明著　定価 3,400 円＋税